おにぎりの丸かじり

東海林さだお

天むすのエビ天を歯でタテ半分に噛み切ろうとして転落させた人の数ははかりしれない
グラッ

朝日新聞社

おにぎりの丸かじり＊目次

装丁デザイン　多田　進

おにぎりの丸かじり

◉イート・インの中のぼく

デパ地下を歩いていると、イート・インなるものに出くわす。

イート・インというのは、鰻関係で説明すると、鰻の蒲焼きを並べて売ってる店がありますね、で、そのすぐ横のところに四、五人分のカウンターと椅子をしつらえて、いま、すぐ、ここで鰻丼を食べることもできますよ、という体裁にしている店。

ね、よく見かけるでしょ。

なにしろデパ地下の通路の両側はズラリと店が並び、通路は狭く、人はぞろぞろと歩き、その狭苦しいところに無理矢理という感じで小さなカウンターと椅子がある。

まさかこんなところで、こんな人混みの中で、食事なんかする人はいないはずと思うと、ところがちゃんといるんですね。

無理矢理仕立てた店だから、食事をしている人の背中をこするようにして通行人が通る。時には通行人のバッグが背中に当たったりする。

そんなとこで食事をしている場合じゃないだろ、と通行人は思うのだが、当人はごく真面目に、熱心に食事をしている。

平常心で味噌汁をすすり、平常心でお新香にお醤油をかけたりしている。

大抵の人は、その人を見て、

「何もこんなところでお新香にお醤油をかけたりしなくてもいいじゃないか」

と思う。

通行人の中には、そういう人を見ると、わざと背中をドンと小突いてみたくなる人もいると思う。（ぼくです。やってみたいなあ）

イート・インは屋台に近い店だから、屋台的な食べ物だとそれなりに似合う。

タコ焼き、とか、焼きそばだったら違和感はほとんどない。

違和感がないから、こっちだってそういう人の背中は小突いたりはしない。

ところがイート・インには、寿司、とか、天ぷら、とか、海鮮丼、とかの、高級品を扱う店もある。

このあいだ新宿のタカシマヤで見たのは、天ぷらの名店「つな八」のイート・インだった。

そういう言い方はよくないかもしれないが、あの、ホラ、高級割烹なんかのカウンターに並べておく漆塗り風のお盆ね、あれがズラッと並べてあるんですよ、イート・インのくせして。

ぼくは思うに、イート・インでは、値段が高いものほど食べていて恥ずかしいと思うな。

食べている当人は恥ずかしいと思ってないかもしれないが、見ている方が恥ずかしいな。

何もそんな高いものを、何もそんなとこで、と、どうしても思ってしまうな。

イート・インにはイート・イン風の食事の仕方があると思う。

いわば雑踏の中で、いわば道端で食事をしているわけだから、多少せわしなく、多少あわただしく、というのがイート・インの食事には合っていると思う。

それなのに、なんだか悠長に、礼儀正しく、しかも値段の高いものを、正式に食べている人も中にはいる。

そこは正式に食べるとこか、と、つっこみを入れたくなる。

つっこみを入れる代わりに背中を小突いたりすることになるのだ。

という姿勢をずっと貫いてきたわけですね、わたくしは、デパ地下のイート・インに対して。

でも、あるとき、突然、ふと、不意に、ああいう食事もやってみたら面白いんじゃないか、と、思ったのです。

〝全く予想もしなかった食事〟との出会い。

そんなつもりじゃなかったのに、〝ついやってしまった出来心食事〟。〝内緒でこっそりいたずら食事〟。新宿のタカシマヤの地下の海鮮丼のイート・インに入ってしまった。

コソコソと入ってしまった。

入ってしまった、と書いたが、イート・インは入口もノレンもないから、普通に歩いていて突然椅子にすわることが〝入った〟ことになる。

海鮮丼は松と竹と梅とあり、それぞれ１２６０円、１０５０円、８４０円。

松は中央にたっぷりのイクラ、それを囲むようにしてウニ、タラバガニ、ホタテ、イカ、マグロ、ほぐしたカニがのせてあっていかにも旨そうだ。

迷った挙げ句一番高いのを頼む。

ぼくがすわったカウンターのすぐ横は各種海鮮弁当の売り場となっていて客足が絶えない。

カウンターのすぐ向こうでは、パートのおばさんらしい人が弁当の製作に余念がない。

もう二人、男の店員がいて三人でこの店をきりもりしている。

三人は製作と販売で忙しいのに、ぼくの海鮮丼を作り、作りつつ弁当客に応対し、ビニール袋に入れ、お金を受けとり、お釣りを渡し、また海鮮丼の製作に戻ると電話が鳴る。

お店の邪魔をしているぼく、いけないことをしているぼく、どうもだんだん卑屈になっていく。

こんなところに、こんなふうに邪慳にされながらすわっているぼく。

通行人に、

「何もあんなところで海鮮丼を食べなくてもいいじゃないか」

と思われているぼく。

「しかも一番高いのを食ってやがる」

と軽蔑されているぼく。
あ、いま、誰か、背中をわざと小突いたな。

◉楽しいぞ、グミは

グミって覚えてますか。

噛むとグニュッとするやつ。

そんで甘いやつ。

大きさはピーナッツより大きめってとこかな。

ゼリー状で、指で押すとプニプニと柔らかいのだが、口に入れて噛むと、一瞬、オヤッと思うほど固い。

固いなって思いながらおそるおそる噛んでいくと、すぐグニュッとゆがんでネチネチッとしながらひしゃげていくやつ。

ぼくが子供のころは駄菓子屋でよく売っていたが、駄菓子屋の主力商品というより、子供たちの一部愛好家が愛好していた、ちょっとマイナーなやつ。

このグミが最近大人たちの間で人気になっているという。

グミの成分はゼラチン、ゼラチン即コラーゲン、お肌にいいコラーゲン、ということでコラーゲンブームにあやかっているらしい。

昔はピーナッツ形だけだったが、いまはハート形、リング形、牛や兎などの動物形など多彩で、「長さ1メートルのヒモ」なんてものまである。

いまここにピーナッツ形のグミがあるので一粒食べてみましょう。色は鮮やかな赤です。

その赤いのをつまみあげると、食べる前にどうしてもプニプニと押してみたくなる。

そこでプニプニ。もう一回プニプニ。

では口に放りこみます。

するとですね、大急ぎ、という感じで舌が放りこまれたグミを受けとめ、大急ぎ、という感じで上の歯と下の歯の間に設置し、そのあとは口の中全体が急におそるおそる、という感じになってグミを少しずつ加圧しはじめる。

グミをいっぺんにグシャッと嚙む人なんていません。

グミの最大の魅力はその弾力にあることをみんなが知っているからです。

このとき口の中にプーンといい匂い。

駄菓子に共通する、アイスキャンデー系の安っぽい甘い匂い。

ぼくは子供のころからこの匂いが大好きで、いまだに大好き。

甘い匂いに包まれながら、歯は少しずつ加圧を開始する。

この時期がさっき書いた、一瞬、オヤッと思う〝初期硬度維持期〟ということになる。

オヤ、意外に固いじゃないか、と思いながら加圧を続けていくと、ピーナッツ形のグミが少しずつゆがんでいくのがわかる。

これがグミの〝ゆがみ期〟で、グミの最大の魅力はこの〝ゆがみ期〟にあるといっても過言ではない。

口の中にあるわけだから、見えるわけではないのに、ゆがんでいるグミの形がはっきりわかる。

ゆがんでいるのだが、少しでも加圧をゆるめるとムクムクと押し返してくる。

この押し返してくるムクムクを、歯が楽しんでいるのが端《はた》から見ていてよくわかる。

端から見ていて、なんて他人行儀な書き方だが、歯は本人のものなんだからおかしいといえばおかしいが、でもこの書き方、しっくりくるな。

〝ゆがみ期〟のあと〝ひしゃげ期〟がきて〝分断期〟〝破砕期〟と続くわけだが、そのどの過程でもグミは弾力を維持することをやめない。

この程のよい弾力はもちろん計算して作られたものだ。

巨大グミというのはどうか
グニグニ
押しこんでる

これ以上固くてもいけないし、これ以上柔らかいとつまらない。

この計算しつくされた固さは、歯のヨロコビのために作られたものだ。

歯に楽しんでもらおうと、工夫に工夫を重ねた固さなのだ。

口腔内における歯の役割は大きい。

食物の摂取の根幹を担っているわけで、その任務は重く労働量も多い。

作業そのものは単純きわまりなく、上の歯を下の歯に打ちつけるだけだ。

このことによって食物の分断、破砕、損壊が行われ、あとは胃のほうに送られるわけだが、作業そのものは、いわゆる、きつい、きたない、つらい、の３Ｋの仕事である。

あれ？　きつい、きたない、つらい、では３Ｋにならないな、だけどこのままごまかして次にいこうっと。

口腔内には歯のほかに舌も設置されている。

歯に比べたら、舌はほとんど仕事をしていない。

遊んでいるといってもいいくらいだ。

遊んでいるくせに、おいしいとこだけ味わうという、いいとこ取りのずるい役割だ。

おいしそうなものがあれば、まっ先にそこへ首を突っこんでいく。

それに比べて歯のほうは、歯ぐきというところに埋めこまれて身動きならず、旨いもまずいもなく、ただ上下に動かされているだけなのだ。

歯には何の楽しみもない。

これじゃ歯があまりにかわいそうではないか。

歯にもたまにはいい思いをさせてやりたい。

長年にわたって苦労ばかりかけてきた歯への慰労として、人間はグミを考えだしたのである。グミを与え、「さあ、これで楽しみなさい」と言ってあげると、歯は、骨形のガムを与えられた犬のように、かじったり、しゃぶったり、なめたり、ゆがみ具合を確かめたりして楽しんでいるのがよくわかる。

端から見ていてよくわかる。

◉丼一杯おかず無し!!

いよいよ秋。

新米の季節。ゴハンが一年中で一番おいしい秋。

テレビのグルメ番組などに、

「ことしの新米を昔の竈《かまど》で薪を使って炊きあげました」

なんてゴハンが登場する。

それを一口食べた名うてのグルメタレントが、

「うーん、旨い。これだったらおかずなんか要らない」

なんてことを言う。

それはそれで本当の気持ちを言ったのだろうが、

「じゃあ、いまここで、この丼一杯のゴハンをおかず無しで食べてください」

ということになったりすると、タレントは急にうろたえ、

「そのへんのところは、まあ、大人の話をしようじゃありませんか」

というようなことになっていくわけです。

そこでです。

ぼくは急に熱《いき》り立ってしまったのです。

「本当に丼一杯のゴハンをおかず無しで食べてやろうじゃないの」

バカなことに熱り立ち、それを本当に実行してしまうところがこのヒトの恐ろしいところです。

どういうふうに実行するのか。

「外食で」というのは不可能だ。

レストラン、定食屋、カレー屋、いずれも「ゴハンだけ」の客は確実に追い返される。

自分で炊いて食べるよりほかはない。

近所のスーパーへ行って、ことしの新米「新米　三重県のコシヒカリ　精米日　06年9月2日」というのを買ってくる。2kg　1650円。

久しぶりにお米を研ぐ。

新米なので水を控えめにし、電気釜のスイッチをオン。

待つことしばし、ことしの新米が炊きあがる。

ツヤツヤ、ピカピカ、モーモー（湯気が）。

湯気の中におしゃもじを突っこんでかねて用意の大きめの丼によそう。

おしゃもじ四杯半で丼に山盛り。

ゴハンをおしゃもじでよそうのって、なんだか気恥ずかしいというか、なまめかしいというか、あだっぽいようなところがあって、よそっているうちに、

（あの人のために、こうしてよそっているわたし）

なんてことを思ってしまって、いつのまにか小指が立っている、というようなところがありますね。

では、いきます。

さあ、丼に山盛り一杯のゴハンを、おかず無しで食べることがはたして出来るのか。

テーブルの上にあるのはゴハンを盛った丼とお箸だけ。荒涼としていて決意を新たにするのにもってこいの風景といえる。

湯気の立つ一口目が、いま、口の中に入りました。

噛んでます、盛んに噛んでます、ずうっと噛んでます、まだ噛んでます、噛むよりほかにないのでひたすら噛んでるようです。

このとき驚いたことが一つあります。

お箸で取りあげた一口分のゴハン、一体あれ、何回ぐらい噛むと思います。

何と、四十回近く噛んでいるのです。

何回やっても四十回。

途中でおかずが参入してくるということがないからずっと噛み続けている。

噛んでいて飲みこもうという気になれず、飽きず、名残惜しく、飲みこむチャンスがなかなかやってこない。

このへんで、新米の味や匂いについて何か言わないとまずいな、モグモグと噛んでばかりではいかんな、モグモグ、新米の味、匂い、確かにあります、水に漬かった大地の匂い、稲の茎の匂い、青田を吹き渡る風の匂い、〝黄金色に稔った稲田の上を飛ぶトンボ〟という風景の匂い。

そんな匂いと米自体の味。

新米ゆえのゆるやかな粘り。程のよい弾力。

なんだ、いけるじゃないの、おかず無しでも何の問題もないじゃないの、丼一杯のゴハン軽い、じゃないの、というのが一口目の感想。

二口目も大体そう。

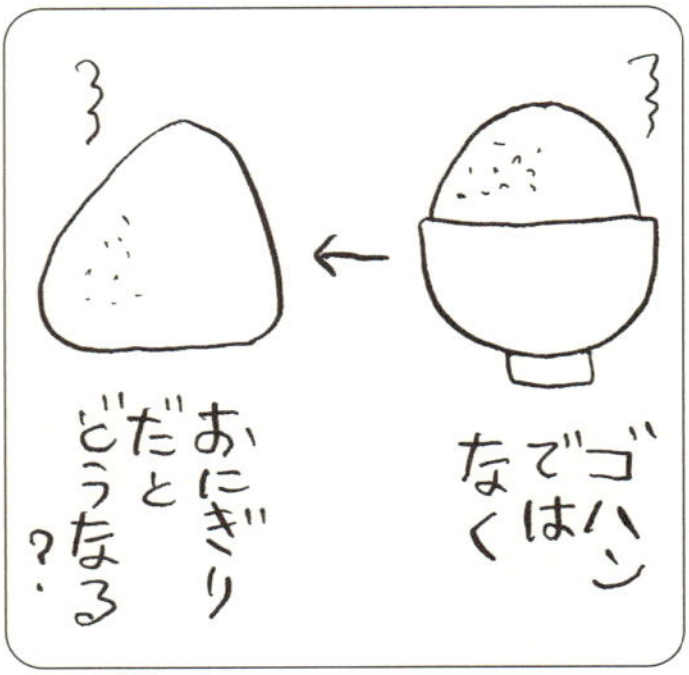

四口目、五口目あたりから少しずつ辛《つら》くなってくる。
このままでもいいんだけど、なーんかこう、なーんか欲しいな、というのが八口目あたり。
丼一杯のゴハンはおおよそ二十口分ある、ということがあとでわかったのだが、まん中の十口目ぐらいから辛さが身にしみてくる。
なーんか欲しいな、の、なーんかは実物じゃなくてもいいな、たとえば匂いとかサ、ホラ、鰻の蒲焼きの匂いとかサ、よく言うじゃないの、鰻の蒲焼きの匂いだけでゴハン三杯食べられるとかサ。

十二口目。匂いがダメなら〝見るだけ〟でもいいな、たとえば梅干しとかサ、梅干しをじーっと見詰めては大急ぎでゴハンをかっこむとかサ。

十八口目。目に涙を浮かべながら、ひたすらゴハンを噛んでいる。辛い。

二十口目。ついに立ち上がった。

立ち上がって冷蔵庫から明太子を取り出した。

「三粒だけ。三粒しか食べないから許して」

と、誰に許しを乞うのかよくわからないが口に出して言う。

明太子三粒をのせた一口分のゴハン、おいしくて体が震えました。

◉白くてもカレー

テーブルの上に、じゃがいも、人参、玉ねぎ、鶏肉が入った、白くてドロッとした料理が湯気を上げている。

これを見たら誰もが、

「おっ、クリームシチューだな」

と思うはずだ。

スプーンで一口すくって口に入れる。

するとそれは、味も辛さも匂いも正真正銘のカレー。

「エ？　この白いドロッとしたものがなんでカレーなの？」

と誰もが驚くにちがいない。

白いカレーは北海道で生まれた。

そのカレーが今年（二〇〇六年）に入って全国的な拡がりを見せているという。

「北海道ホワイトカレー」のルーが、ハウス食品から発売されて、いまスーパーの棚に並んでいる。

で、今回はその白いカレーについて書くわけなのだが、その前にどうしても紅生姜について触れなければならないことになっている。

紅生姜と白いカレーはどこでどうつながるのか。

はたしてちゃんとつながるのか。

はなはだ自信はないのだが、とにかく紅生姜について書く。

紅生姜はとにもかくにもまっ赤。

これまで人々は紅生姜が赤いということに何の疑いも持たなかったが、よく考えてみれば、〝生姜がまっ赤〟ということはありえないことなのである。

土から引き抜いた生姜にはほとんど色がない。

どこでどう、赤と結びついたのか。

ぼくが思うに、生姜自身もこの赤は不本意だと思う。

もともと生姜は、その姿、形を見てもわかるように、野菜類の中ではかなりの地味派である。

本人も地味に暮らしていこうと思っていたのに、こともあろうにど派手のまっ赤に染められてしまった。

たぶん紅生姜は、このことをいまだに恨んでいると思うな。

……どうもまずいな。

紅生姜について語るのについ熱が入ってしまって、本来のテーマである白いカレーからどんどん離れていってるような気がするな。

うん、そうだ。カマボコというものがありますね。

あれももともとああいう色ではなかった。

片っぽうを赤く染めた。

紅白のカマボコの誕生である。

ぼくが思うに、カマボコの場合は赤く染められたことを喜んでいると思うな。

たぶんカマボコは、このことをいまだに感謝していると思うな。

どうもまずいな。

白いカレーからどんどん離れていくような気がする。

もしかして最後までつながらないかもしれないが、それはそれでまた面白いですよね。え？面白くない？　弱ったな。

タクアン。

東京タクアン。まっ黄色。大根がまっ黄色というのはありえない。

字数も残り少なくなってきたので、このへんで白いカレーに話を戻さなければならない。

「ホワイトカレー」を買ってきて作って食べてみることにする。

箱に書いてあるレシピ通りに、肉、野菜を炒め、水を加え、弱火で15分煮込み、火を止めてルーを煮溶かし、牛乳を入れて5分煮込む。

箱からルーを取り出した時点でカレーの匂いがし、煮込んでいるうちにまごうかたなきカレーの匂いになって台所中にたちこめる。

ルー自体はまっ白ではなく、ややベージュがかっていたのだが、牛乳を入れると一気に白くなる。

鍋の中は白いドロリとした液体、この白い液体から、どこでどう工面しているのか、正真正銘のカレーの匂いが立ちのぼってくるのである。

まっ白なゴハンを皿に盛り、その上に白いカレーをかける。

白いカレーソースの中に人参の赤が点々と鮮やかだ。

まことに不思議な光景である。

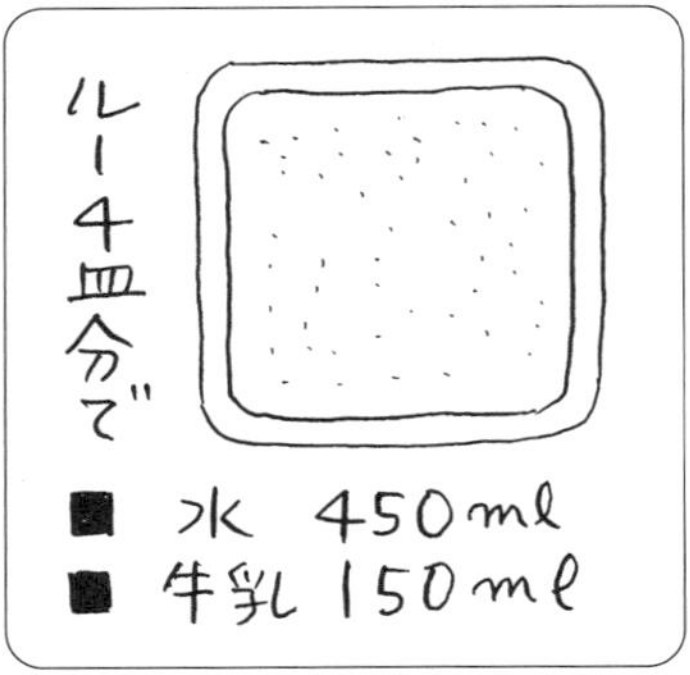

言ってみれば雪景色。

雪景色のカレー。

雪景色ではあるが、まぎれもない本物のカレー。

なんだか頭が混乱してくる。

一口、食べてみる。

ますますカレー。

正《まさ》しくカレー。

ちゃんとカレー。

かなり辛いカレー。

カレーを黄色くしているのはターメリック（うこん）で、ターメリックこそがカレーをカレーたらしめているのだ。

だからターメリックをはずしたらカレーはカレーでなくなる……はずなのだが、現にこうしてちゃんとカレーとして成立している。

「まずいな」

と思ったサラリーマンの方々も多いと思う。

「オレがいないと会社が成りたたない」

と思っていたが、病気などで長く休んでも会社は何の痛痒も感じない。

(オレってターメリックなんだ)

なんかみんな騒いでいるな、最初の紅生姜と白いカレーと、まだつながってないじゃないか、だって?

えーとですね、つまり紅生姜は本来でない色にムリヤリ染めたわけですね、カマボコしかり、タクアンしかり、ホワイトチョコというものがありますね、あれだってチョコレート色が本来のチョコレートの色なのに、ムリヤリ白くしたわけです。

白いカレーもムリヤリ白くした。

つまり〝ムリヤリ〟という一点で、かろうじて全体がつながっていた、と、こういうわけなのです、という、ムリヤリな結論ですみませんね。

◉蕪の真意

蕪と大根はよく似ている。

共に根菜類である。

色が白い。葉っぱの色や形は、見間違えるほどよく似ている。

大根が長いのに対し、蕪は丸っこいというところが違うだけだ。

大根と蕪が入社試験を受けて、

「似たような連中だが両方採ってみっか」

ということになって二人揃って入社したとする。

大根を採用して、会社側がまず気がつくのは、

「大根クンは気働きがある」

ということだ。

何事にも意欲的に取り組む。

まず煮物。

煮物部に配属するや、豚肉と組んでいい仕事をし、おでん課に回してみるとたちまち頭角を現

蕪と油揚げの味噌汁って
なんだかしんみりしてくるのよね

し、おでん課にその人ありと言われる存在となる。

「ブリと組んで一仕事してみます」

と自ら提案し、後世に名を残すような結果を出す。

ふろ吹き大根では誰とも組まずに良い仕事をし、お新香部に配属を命じると、

「糠《ぬか》漬け、味噌漬け、たくあん、奈良漬け、味噌漬け、どれでいきましょうか」

と、とにかく積極的なのだ。

味噌汁の具部では自ら千六本という方法を考案し、〝大根の千六本と油揚げ〟

という名作を世に送り出す。

サンマには出向という形で派遣され、サンマの横にうずくまっていたのが大詩人の目に止まった。

一方、いっしょに入社した蕪クンのほうはどうか。

「君は何が出来るのかね」

と訊かれると、

「エート、いちおう味噌汁の具……ですか。それといちおう……お新香……ですか」

「かぶら蒸しってのは？」

「あれはあまりやりたくないし……」

事実そのとおりなのであった。

煮物部に回してみると、

「カラダが柔らかいのですぐ煮くずれちゃうんですけどいいですか」

と言うし、天ぷらはどうだと訊くと、とんでもない、と手を振るし、本当にもう、何にも出来ない奴なのだった。

何にも出来ないけど一つだけいい仕事をする、あの仕事だけは余人をもって代えがたい、というものがふつうあるものだ。

さつま芋なら焼き芋、里芋なら衣被《きぬかつ》ぎ、牛蒡ならキンピラ、ほうれん草ならゴマ和《あ》え、と並べていって、では蕪は？　ということになると誰もが返答に窮する。

さつま芋や牛蒡から見れば、

「あいつは働いてないな」

と思うのは当然のことだ。

やる気がないのか。もともと怠けものなのか。

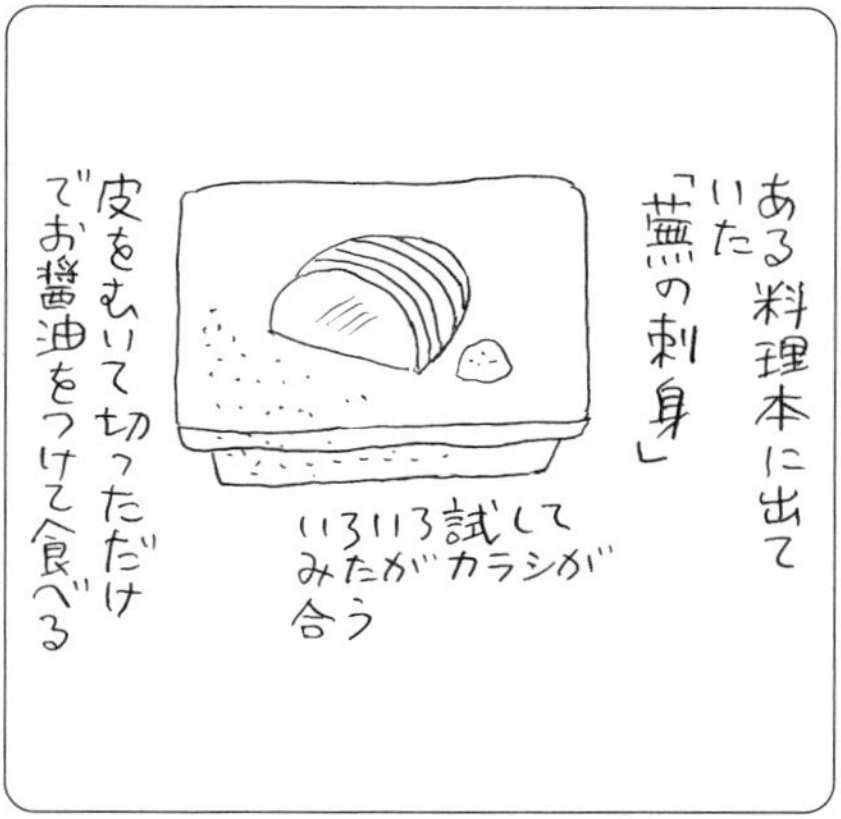
ある料理本に出ていた「蕪の刺身」
いろいろ試してみたがカラシが合う
皮をむいて切っただけでお醤油をつけて食べる

ぼくなんかから見ると、どうしてもそういうふうには見えないのだ。

他に何か理由がありそうに思えてならない。

人柄はいいようだ。

あんまり働いてないわりには、人から悪口を言われない。

大人しいし、真面目そうだし、いつも控えめだし、それにどことなく品がある。

出もいいようだ。

色は白いし、肌の肌理《きめ》がこまかいし、それにしっとりとした艶もある。

茎を切り取ってそこへ目鼻立ちを描けば、そのまま雛人形の首になるような〝上品な野菜〟だ。

味噌汁の具としての蕪は、大根とはまた違った、ちょっと渋いような、エグ味のあるような、いわく言い難い雅味のようなものが感じられる。

自分でも言っているように、確かに煮くずれがちだが、そこのところのぐずぐず感がかえって大きな魅力になっている。

しんなり、しっとりとした食感と味が、食べている人の心をしんなり、しっとりさせる。

そして、しんみり、しみじみさせる。

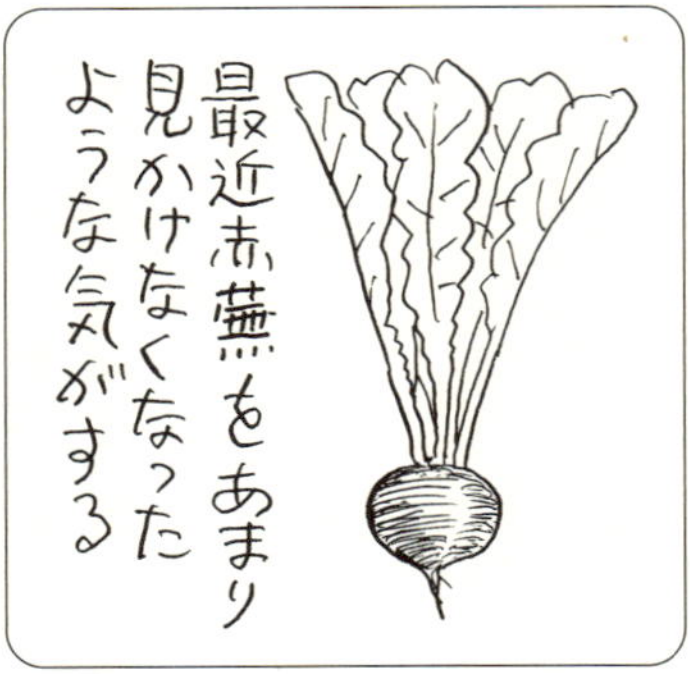
最近赤蕪をあまり
見かけなくなった
ような気がする

うーん、何とかして蕪の真意に迫ろうとして、こうしていろいろ書いているわけなのだが、うーん、そのあたりどうなのかね、と蕪クンに訊いても、はにかんでうつむくばかりだ。

蕪は〝遅れてきた少年〟なのではないか、という人もいる。

（ぼくです）

遅れてきた少年は、ナイーブな少年でもあった。

遅れてきた少年は周りを見回す。

そのとき少年は、自分がこれから行こうとしている道は、すでに他の人たちによってすべてを占有されていることを知る。

自分の行こうとしている道で、すでに先人が生計を立てていることを知る。

緑黄色野菜という方向、ビタミン豊富という方向、歯ざわりが面白いという方向、繊維が便秘に効くという方向、蕪にとって、すべての方向が閉ざされていたのだ。

もちろん、たとえ遅れてきたとしても、そこで競争し、打ち勝って道を拓《ひら》くという方法もあるが、ナイーブな少年にはそれが出来なかった。

嫌って、料理としては傍流の、味噌汁の具とお新香という道を選んだ。

人が寝静まった夜中、蕪は糠漬けの蓋をそっと開ける。

そして、キュウリやナスが埋まっている隙間を見つけ、そこへゆるゆると身を沈ませていく。

糠床の中へ頭まで沈ませたところで深く目を閉じる。

そういう光景、物陰からそっと見てみたいな。

◉コロモの喜びと悲しみ

食べ物の名前はどのようにして付けられるのか。

おひたし、きんぴら、和えもの、餡かけ、煮こみ、いずれもその食べ物が持っている特質、性状などを言い表そうとする場合が多い。

だからといって、カスという名前はひどいじゃないか。

天カス……。

確かに特質、性状はカスだ。

だけどもう少し思いやりのある名前を付けてやれなかったものか。

天カスはタコ焼きやお好み焼きにも使われていて、その料理法が書いてある本などでは、「ここで天カスを入れて……」とか「天カスを少量混ぜこみ……」とか、やたらにカス、カスを連発するが、言われているほうはどんなに辛《つら》い思いをしていることか。

もちろん揚げ玉という別名はあるが、世間に通用しているのは天カスのほうだ。

天カスはカスではあるが、ちゃんと広辞苑にも認知されているのだ。

漢字だってちゃんと与えられていて〔天滓〕と書く。

認知はしているが〔「テンプラかす」の略〕とニベもない。

「滓」のほうを引くと〔よい所を取り去ってあとに残った不用物。また、劣等なもの。つまらないもの〕と徹底的にいじめている。

思いやりのない名前の付け方としてもう一つ「パン屑」というのがある。

ただし、パン屑のほうは終始一貫して屑として扱われていて、これを食べることはない。

天カスのほうはカスなのにちゃんと食べる。

たぬきそばでは、カスなのに主役だ。枢要な地位にいるのだ。

つまり要職にあるのだ。

要職にあるのに「不用物」とか「劣等なもの」とか「つまらないもの」とか言っていいのか。

ぼくは天カスの大ファンなのでよけい義憤にかられる。

だって、おいしいんだよねー、天カス。

鰹だしのよく利いたそばつゆに、こんなにも合うものって、ほかにないんじゃないか。

そばつゆをたっぷり含んでビロビロになった天カスの群れを、そばつゆごとズルズルとすすりこむときのあのヨロコビ、要職にある方々なのに、気安い身ごなしで庶民の口の中に流れこんできてくださる。

以前、関東でチェーンを展開する立ち食いそば界の雄「富士そば」の丹道夫社長にお会いしたとき、たぬきそばを食べるときの極意を伝授された。

つまり、たぬきそばの天カスの食べ方の極意である。

たぬきそばが到着したら、まだ湿ってないカリカリ状態の天カスをいくつかすすりこんでカリカリと味わう。

そのあとしばらくそばに専念し、こんどはビロビロに湿った天カスをいくつかすすりこんでビロビロと味わうというのだ。

たぬきそばの天カスの〝カリカリビロビロビロ二段階食いの術〟というわけだ。

以後、忠実にこの術を実行して今日に至っている。

天カスは、広辞苑が言うように「テンプラ（を揚げたときに出る）かす」だ。

この「出る」をもっと学術的に表現すると、テンプラ本体から「離脱する」の意となる。

ここで問題になってくるのが「本体」である。

海老天で考えてみよう。

昔はこんなふうにして惣菜屋の片隅に置いてあった
自由にお持ちください

海老天の本体は「海老及び海老の身体に付着するコロモ」ということになる。

いま、天ぷらの名店といわれる一軒の天ぷら屋で、海老天が揚げられようとしているところだ。

名店の名人は、名店の名人特有の苦渋の表情をあらわにしつつ、一匹の海老の身体にコロモを付着せしめて煮え立つ油の中に投入した。

ここから恐るべき悲劇が始まるのである。

〝天ぷらのコロモ界のタイタニック号的悲劇〟が、油の海の中で展開されるのだ。

ここで途中の時間を抜く。

いま名店の名人は、苦渋の表情を維持したまま、揚げあがって湯気のあがる海老天を、皿の上の白い紙の上に置いた。

揚げ始めてから時間にして数分。

その数分の間に、油の海の中でどんな悲劇が起きたというのか。

最初にコロモを付けた一本の海老を名人が油の中に投入しようとした時、コロモはみんな同じコロモ仲間だった。みんな同じ小麦粉仲間だった。

名人が油の中に投入した瞬間、いくつかのコロモは油の海の中に飛び散る。

その飛び散ったコロモは、もはや天ぷらのコロモではない。

天カスという運命をたどるのだ。

ころあいを見て、名人は海老天を箸の先でクルリと返す。

このとき、更にまた本体を離れていくいくつかのコロモがある。

離れまいとして本体にしがみつくコロモ。

他のコロモにしがみつかれ、そのコロモを足で蹴るコロモ。

いったんは本体を離れてしまったのに、本体がクルリと引っくり返されたときにちょうどその下側にいて付着に成功したコロモ。

こうした悲劇を毎日目のあたりにしているがゆえに、天ぷら屋の主人の表情は苦渋に満ちているのである。

◉松様をノックアウト？

どえりゃーことを思いついてしまいました。

そんなこと思いつかなきゃいいのに、と、自分でも思うのだが、思いついてしまったものはしかたがない。

松茸を丸ごと一本、頭のほうから丸かじりしてみようと思ったのです。

いいですか、丸かじりですよ、頭のほうからパクッといって、それから茎のほうにパクパクッといって、茎がだんだん短くなっていってそれでおしまい、という食べ方。

松茸を丸ごと一本食べたことがある、という人は案外いる。

奥地の旅館に行ったら、夕食に松茸が丸ごと一本出てきて、それをコンロで焼いて食べた、というような話はよく聞く。

でも、そういう場合でも、誰も決して頭から丸かじりしたりはしない。

当然のようにいくつかに引き裂き、それを皿の上に丁寧に並べ、盛りつけ、眺め、みんなで感想を述べ合い、拝み、それから一歩下がって三拝一拍子してから食べる。

その場に十人いたら十人、松茸一本を丸かじりしてみようなんて言い出す人はいないと思う。

なぜか。

「うしろめたい」とか「畏れ多い」とか「暴挙である」「世間が許さない」とかの思いが、十人の頭の中にあるからだと思う。

この罪の意識はどこからくるのか。

たとえば同じ茸の椎茸だったら、頭から丸ごと一本ムシャムシャ食べても何の感慨もわかない。

やはり値段。

人間て、何てつつましくいじらしい存在なのだろう。

高価である、というだけで、人は高価なものの前で萎縮する。

高価なロレックスの前でならそうなってもしょうがないと思うが、たかが茸でしょう、そのへんに生えている菌の一種でしょう、菌を拝んでどうする、と言われても、目の前に大きな松茸が丸ごと一本出てくれば誰だって拝む。

わたくしは茸ごときに畏れおののく人間でありたくなかったのだ。

松茸と向き合っても動揺しない人間になりたかった。

松茸とせめて対等の立場に立ちたかった。

それには動機が必要である。

儀式が必要である。

そのために、丸かじりはどうしても通過しなければならない儀礼なのだ。

向こうだって一度頭からかじられてしまえば観念するにちがいない。

猿山のボスだって、戦いを挑まれて敗退したボスは、翌日から勝者の配下となる。わたくしのこのたびの松茸の丸かじりは、猿山のボスに戦いを挑む群れの中の一匹の猿と同じなのだ。

とりあえずデパートへ行った。

戦いを挑む相手を見つけに、だ。

戦いの相手の値段は高い。

中位の松茸が三本入った箱に一万五〇〇〇円の値段がついている。

一本五〇〇〇円。戦わずして挑戦者はうなだれている。

「二本で四〇〇〇円」というのがあった。国産（長野）である。

ところがこの四〇〇〇円には赤いマジックの線が引かれていて、その横に三二〇〇円の値がついている。

これほどの値引きにはよほど何かの事情があるにちがいない。

あえて事情を訊かず、それを購入する。

二本のうちの一本は非常に身長が高く、もう一本は極めて低い。

身長十三センチ対八センチ。

身長が高いほうは笠が少し開いていて、これが〝事情〟の一つなのかもしれない。

とりあえず身長の高いほうをアルミホイルで包んでガス台にのせる。

およそ五分、おそるおそる包みを開けると、それまで全然しなかった松茸の香りがあたりに漂う。

熱いのを箸でつかんで皿の上に盛りつける。

盛りつけるといったって皿の上にのせるだけなのだが、

ここで思いもかけない問題が発生した。

前例のない日本人初（たぶん）の松茸丸かじりであるがゆえの問題である。

笠は右側か左側か。

焼き魚なら「頭が左」と決められているが、松茸の場合はまだ誰も何も決めていない。

決めるのは俺だ。

焼き魚の歴史と作法に敬意を表して笠を左側に。

一応両手を合わせて軽く拝む。松茸を手に取る。口のところに持っていく。歯と歯の間にあてがう。

松茸丸ごと一本入り
お吸いもの
プカプカ
プカプカ浮いて向きが
変わった

ここでまた、前例のない日本人初（たぶん）の松茸丸かじりであるがゆえの問題が発生した。

歯が言うことをきかないのである。噛んでいいと言っているのに、歯がおびえて震えているのだ。

ゴルフで、このパットで優勝が決まるということになると、たった30センチの距離なのに手が震えて打てない状態をイップスというが、歯がイップスしているのだ。

ここから先はいろいろあったが簡単に記す。

とりあえず噛むのを中断し、エリンギを買ってきてこれを松茸同様に焼いて〝予行演習〟をし、そののちようやく松茸噛み切りに成功し、シャキシャキと食べ、全部で四口で食べ切ったのだが、三口目のところでふと気がついてお醤油をつけたらこれがとてもおいしく、香りも充分、じゃあ松茸の通過儀礼は成功したのかと問われれば、

「もう一回やってみないとわからないな」

◉串の力量

焼き鳥屋で一杯やって、いい気持に酔っていると、急に天の声が聞こえてきた。

「焼き鳥はなぜ串に刺してあるのか」

嵐寛寿郎が映画で演じた明治天皇の声に似ている。

「は？」

ぼくがうろたえていると、

「それらのものは串で刺さねばならない事情でもあるのか」

と、あの荘重で抑揚のない口調で更に御下問になる。

「それらのものは串で刺さないと食べられない食べ物であるのか」

うーん、確かにそのとおりだ。

焼き鳥屋の正肉もレバーも砂肝も、串に刺さなければ食べられないというものではない。

刺身でも食べるし、煮ても食べるし、串に刺さない方法で焼いても食べる。

なぜあんなに手間ひまかけて、肉片を一つ一つ手作業で刺すのか。

ぼくは一度、開店前の焼き鳥屋の厨房をのぞいたことがあるが、家族総出（四人）で大量の肉

片をひたすら串に刺している。

〝串に刺す〟ということが、この職業を成り立たせているのだ。

もちろん焼き鳥は、炭火やガスの火に、ジカに材料を当てるためには串に刺す必要があるのは知っている。

焼き魚はどうか。

焼き魚もジカに火に当てて焼く。

そのために専用の焼き網を作っている。

焼き鳥も専用の、目のこまかい焼き網を作ってそれで焼いたらどうなのか。

それをバラバラのまま皿にのせて出したらどうなのか。

老舗の蕎麦屋のメニューにある焼き鳥は、皿の上にバラバラのまま出すのが定法だ。

嵐寛天皇が言うように、なぜわざわざ串に刺すのか。

串に刺さねばならない事情があるのか。

串団子は、串に刺さなくても食べられるが、どうしても串に刺さなければならない事情がある。

串団子、と銘打ったからには串に刺さないわけにはいかない。

串かつも同様であり、串揚げも同様である。逃げるわけにはいかないのだ。

焼き鳥はどこにも〝串〟を銘打っていない。

銘打ってないんだから、逃げ口はいくらでもあるのに、開き直ったのかどうかしらないが強引に串を持ち出してくる。

うーん、なんかあるな、串に刺さなければならない事情がなんかあるな。

「そのへんのところはどうなのであるか」

嵐寛天皇も責めたてる。

串であることによる便宜性、利点はいくつかすぐに挙げることができる。

箸が要らない。気軽に食べられる。アウトドア的雰囲気を味わえる。なんだか愉快である……。

なんだか愉快である、うん、このへんに何かあるな、その愉快とはどういうたぐいの愉快なのか。

焼き鳥は肉片を口にくわえて固定させておいて、串を横に手で引っぱってズルズルと抜きますね。

ここんとこあたりに何かありそうだな。

みんな気付かずにやっているが、このズルズルが案外愉快なのではないかな。

先っぽの一口めのズルズルの距離は短い。

ズルで終わってしまう。

だが一番下のところのズルズルの距離は長い。

引き抜く最初の段階では肉が串にしがみついているせいで少し抵抗がある。

が、そのあと、そのしがみつきが取れた感触があって、急に穴がゆるみ、肉は竹串をこすりつつズルズルと抜けていく。

あー、いま抜けていってるなあ、という感触が楽しい。

いまオレがこうして引き抜いているんだなあ、と思うのが楽しい。

「そんなことの、どこが楽しいのであるか」

と嵐寛天皇は言うのだが、いや、これ、みんな気付かずに、意外に楽しんでいるんじゃないのかな。

しかも材料によって〝抜けていく感〟が一つ一つちがう。

正肉には正肉の抜けていく感。

ハツにはハツの抜けていく感。

砂肝には砂肝独得のしがみつき感があり、このしがみつきを強引に引き離し、勢い余ってつんのめったりするのもこれはこれで楽しい。

しがみつきが無いのは無いなりに楽しい。

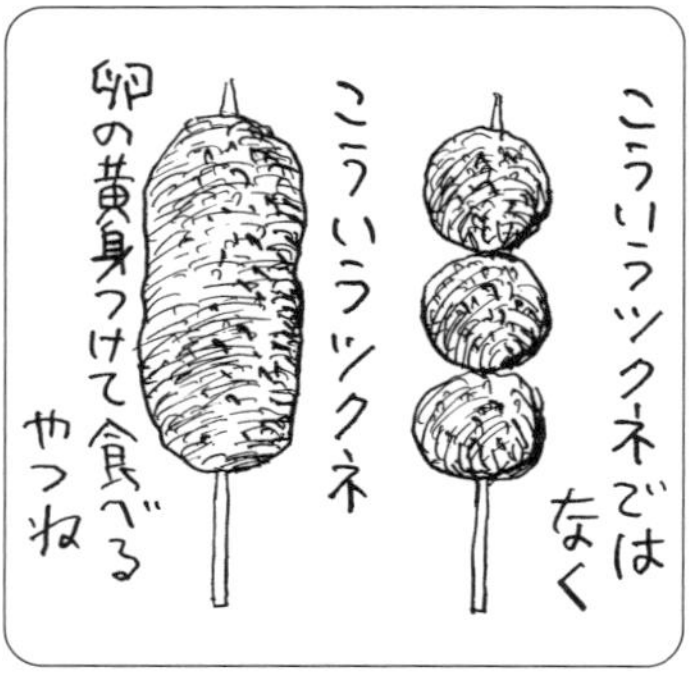
こういうツクネではなく
こういうツクネ
卵の黄身つけて食べるやつね

ウズラの卵はスッと抜ける。

一個めは呆気なくスッと抜けるが、三個めはスーッと抜ける。

この三個めが、スムーズにスーッと時間をかけて抜けていく感触も、これはこれで味わい深い。

レバーもスッと抜ける。

レバーの潔さもなかなか捨てがたい魅力がある。

最も味わい深いのがツクネである。

ツクネの、団子のほうではなく、キリタンポ状のほうで、ズルリと抜けるのもあれば、最後までしがみついて梃摺《てこず》らせるのもいて、いろいろに楽しめる。

焼き鳥屋はより便利な金串を使わず、なぜ竹串にこだわるかというと、肉片が竹串をこすって抜けていく感触の楽しさを味わってほしいからなのだ。

焼き鳥はなぜ串に刺すのか、嵐寛天皇、合点していただけたでしょうか。

◉鴨南蛮のスルスル

鴨南蛮の魅力は、おつゆの表面にキラキラ浮かぶ無数の脂にある。

大きく、小さく、濃く、薄く、まばらに、密に、ビッシリと丼の表面をおおう透明な脂の群れ。

天ぷらそばのコロモから出た油滴とも違い、トンコツラーメンの表面に浮かぶ脂とも違う、透明感のあるキラキラ星のつらなり。

まずこれを見ただけで、

「鴨南蛮をとってよかった。本当によかった」

と心の底から思う。

毎回思う。必ず思う。

このキラキラ光る表面のところを、丼のフチに口をつけ、口の中に滑りこませたらどんなにおいしかろう、と思う。

毎回思う。必ず思う。

そこで、いかにも熱そうな丼におそるおそる口をつけ、おそるおそるすすりこむと、大小様々なキラキラが、鴨の肉と脂の出しを含んだそばつゆと共に口の中に滑りこんできて、口の中はち

ょっと獣くさいような鴨の香りで一杯になる。

そのつゆをゴクンと飲みこみ、あー、鴨南蛮をとってよかった、本当によかったと思う。

毎回思う。必ず思う。

あ、しまった、書き忘れた、さっきの「鴨の肉と脂の出しを含んだそばつゆ」のところに「ネギの香り」を入れるのを忘れた。

世に名高い〝鴨ネギ〟のネギ。

「鴨の肉と脂の出しを含んだそばつゆ」に、「鴨ネギ」のネギの香りが加わるわけだから、もう、たまんないわけですね。

種物のそばは、大抵の人はまず最初、つゆを一口飲んでからそばに移る。

ほとんど習慣的にそうしてるだけで、つゆを一口飲んでそばに移るときに特に感慨はない。

鴨南蛮には〝特に〟感慨がある。

毎回ある。必ずある。

いま飲んだつゆをしみじみ振り返るひとときがある。

そばつゆの表面に浮かぶ脂には、何というか清潔感のようなものがある。素直な脂、というのかな。

何の苦労もなく、自然にスッと脂身から流れ出た脂。

こってり系のラーメンも、スープの表面に大小様々な脂がびっしりと浮かぶ。

こっちの脂には〝苦労の果て〟という感じがある。

ラーメン屋のおやじがいろんなことをして、工夫と辛苦と、不眠と不休で作りあげた脂。

「あ、ここから先は撮っちゃダメ。企業秘密だから。撮るなら映すときボカシ入れてよ」という脂。

と、ここまでは鴨南蛮の脂の話。

鴨南蛮は脂だけで成り立っているわけではなく、何枚か入っている鴨肉があり、そして本体のそばもある。

そっちの話もしないといけないな。

まず鴨肉。

白い脂身と肉の部分をくっきりと分けた部厚い一片。

肉と脂身の分かれ目の何といういさぎよさ。

白い板状の脂身に、熱によって少しねじれ、よじれ、ちぢれつつも必死でしがみついている肉の部分。

鴨南蛮を前にすると
なんだか血が騒ぎませんか
野性の血が
騒ぐというか……

肉の部分と脂の部分をまるで貼りつけたような魅力の一片。

これをいっしょに噛みしめれば、脂は溶け、肉は裂け、両者入り混じったその味はどんなにかおいしかろうと思いつつ噛みしめれば、はたして両者は入り混じって脂は香り肉は匂う。

ぼくはときどき、この白い脂身を、脂身だけで食べてみたいという誘惑にかられ、ピリピリと剝がして食べたりするんですけど、やはり脂身だけってのはあんまり旨くないですね。

意外に硬いです。

それに意外に筋ばってます。

あんなに柔らかそうなのにね。

そしていよいよ本体のそば。

これはぼくだけの感じ方かもしれないのだが、鴨南蛮のときのそばは、鴨肉の下で〝大人しくしている〟ような気がする。

元気がない、というのではなくて、〝鴨に身をまかせている〟というのかな、〝鴨に仕切らせている〟というのかな、天ぷらそばのときの、エビ天の下にいるときと態度が違うような気がする。

妙に素直になっていて、つゆといっしょにすすりこむと、妙にスルスルと口の中に入ってくる。

確かにいつものときと身のこなしが違うような気がする。

スルスルとすすりこむと、居酒屋チェーンのおにいちゃんみたいに、「喜んで」と言いつつ口の中に入ってくる。

でもこれは鴨の脂のせいなのかもしれない。

脂がそばの滑りをよくしているだけなのかもしれない。

そうやって、脂の浮かんだつゆをすすり、つゆと共にそばをすすり、「別れないで」と必死に脂身にしがみつく肉の部分を脂身といっしょにアグアグと食べつつ鴨南蛮は進行していくわけなのだが、丼の中にいっしょに入っているあのネギ、あれは一体いつ食べるのが正しいのか。

太いネギを5センチぐらいの筒切りにし、いったん焼いてから使う店が多いが、存在感のあるものだけに軽々に扱うわけにいかない。

軽々に扱ったりすると、かじった瞬間、中から熱いつゆを噴射して復讐するという、タチのわるいところがあるから気をつけたい。

ということはネギは冷めてから。

冷めたあとはどんな風に扱ってもかまいませんよ。

◉ビーフシチューの態度

ぼくはビーフシチューというやつ、どうも気に入りませんね。

虫が好かないというか、態度が気に入らないというか、積極的におつきあいしたいとは思いませんね。

ビーフシチューはどういう態度をとっているのか。

えーとですね、毅然としてないんですね、牛肉のくせに。

牛肉には毅然としていてもらわないと困る、牛肉なんだから。

牛肉は肉の王様でしょ。

堂々、裸一貫で勝負してもらいたい。

堂々、皿の上に部厚く一枚、泰然と横たわっていなければならない立場だ。

つまりステーキです。

ステーキこそが牛肉のあるべき姿なのです。

それなのに何ですか、ビーフシチューにおける牛肉の様相は。

濡れそぼっている。

濡れそぼつというのは、野良犬なんかが雨にうたれている哀れな様相を言います。

濡れそぼっちゃいかんのです、王様は。

濡れるなら濡れる、乾くなら乾く、王たる者は潔くどっちかを選ばなければならない。

それなのに腰湯につかっている。

ソースで腰のあたりまでひたし、中腰風の姿勢で浮かない顔をしている。

ビーフシチューには、腰湯のスタイル、肩までソースにつかるスタイル、水没するスタイルまであるが、一番多いのは腰湯だ。

と、このように、その態度は嫌いなのだがビーフシチューそのものは好き。

だっておいしいもん。

言ってることに一貫性がないじゃないか、とお叱りを受けるかもしれないが、よくあることです、こういうことって。

「性格は嫌いだがカラダは好き」

なんてこと、よく聞きますもんね。

それです。

ビーフシチューの最大の特長は調理に時間をかけること。

七時間とか八時間とか煮こんだ肉とソースのおいしさ。

長時間煮こまれて肉はもうぐったり、へとへと、もうどうにもなりません、どうにでもしてください、という態度。この態度は好き。

「ウフフフ、どうにでもしてくれというのじゃな」

と、越後屋に言い含められた娘が、悪代官の前にぐったりと倒れ伏しているのに近寄って帯に手を掛ける、そんなふうな気持になるのもやむをえないのではないでしょうか。

で、手を掛けるわけです、ビーフシチューの肉に、ナイフで。

ビーフシチューの肉は、バラ肉を使うのと、スネ肉を使うのとがあるが、ぼくはバラ肉のほうが好き。

腰のあたりまでソースにひたったバラ肉の大きなカタマリが、皿の上でぐったりしている。

そいつにソースをたっぷり含ませて口の中に入れる。

舌の上にのせただけで、そのまま舌に浸透していって消化吸収されていくような、肉と舌が同化したような感触。

噛みしめると、歯と歯の間でぐにゅとゆがんで揺れてつぶれてくずれて溶ける。

脂肪のところのぐにゅと、肉質のところのぐにゅとの違いを、同時に味わい同時に味わい分ける。

そこのところに、ドミグラスソースの香りが立ちのぼって鼻に抜けていく。

柔らかい肉の安堵。

柔らかい肉の悦楽。

ここなんですね、態度は気に入らないがカラダの魅力にはどうにもならないという人が言ってることは。

スネ肉系は、バラ肉とはまるで肉質が違う。

バラ肉がポッチャリ系だとすると、スネ肉のほうは肉体派。

いいカラダしている。

かつては筋肉美を誇ったであろう筋肉が、コンビーフのような柔らかさになっている。

これまた箸でもちぎれる柔らかさの肉が、肉の繊維にそってタテにほぐれていく。

噛みしめれば、繊維感を感じさせつつも、コンビーフとは比較にならぬ味の豊かさ、濃さ、なめらかさ。

と、このようにビーフシチューのカラダは申し分ない。

問題は先に書いたような態度なのです。

はっきりしない態度にあるのです。

中途半端なソースの量、すなわち腰湯問題に帰着する。

ビーフシチューのソースをゴハンにかけて食べたいという人は多い。

それには腰湯の量では少なすぎる。

それにビーフシチューの味つけはゴハンには合わない気がする。

ゴハンのおかずとしては、いささか味つけが薄いように思う。

何とかしてゴハンと共存させたい。

共存の道はないものか……と、考えること、三七、二十一日、ふいにひらめくものがあった。

なぜいままで人々はこのことに気がつかなかったのか、と、思うような傑作です。

ビーフシチュー丼です。

ビーフシチューのお皿ごと、丼のゴハンにのせちゃうわけです。

ゴハンにしみこんでいくソース、そのソースの量は腰湯の量がピッタリ。

さて、ゴハンのおかずとしてはソース、味つけが薄い問題。

これは丼の上からお醬油を二、三滴、タラタラ。

◉小鍋立て論

まもなく木枯らしの季節。

木枯らしとくれば鍋物。

おでんには和がらし、鍋物には木枯らし。

鍋物といえば、大きな鍋を大勢で囲んでワイワイ、がやがや、和気ワイワイ、とにもかくにも陽気、闊達、湯気モーモー、という風景が思い浮かぶ。

そういう賑やかな鍋がある一方、小さな鍋にたった一人、陰々滅々、寂寥々《せきりょうりょう》、とにもかくにも陰気、陰鬱、湯気ショボショボという風景が思い浮かぶ鍋もある。

小鍋立てである。

小鍋立てを広辞苑で引くと、〔小鍋を火鉢にかけ、手軽に料理をつくり、つつき合うこと〕とある。

広辞苑に異議をとなえるつもりはないが、何も火鉢じゃなくてもいいと思うな。

〔つつき合う〕ということは一人じゃないわけだが、ぼくは小鍋立ては一人のほうが似合うと思うな。

でもこの〈つつく〉というところはなかなかいいと思うな。

大鍋は「囲み」、小鍋だと「つつく」になる。

「つつく」という動作はいかにも侘《わび》しい。

なんかこう、いじけた感じがあり、暗く、寂しく、いいんだ、オレ、どーせいいんだ、と、ひがんでる感じもあって、こういうの、ぼく、わりと好きですね。

小鍋立ては陰気が似合う。

だって、一人で小鍋立てをしながら、手拍子なんか打って陽気に騒いでたらおかしいもん。

陰気は陰気だけどただの陰気ではない。

孤高の気配が感じられる陰気。

その周辺には、清貧、高潔の空気さえ漂っている。

そして、文学の香りも漂っている。

池波正太郎の小説なんかにもよく出てくるじゃないですか。

どことなく陰のある男、過去を背負った男が似合うのが小鍋立てなのです。

そういう空気を周囲の人々に感じさせるには、当然鍋の種類は限定されてくる。

一人、背中丸めてチャンコの小鍋立て、というのはいけません。

寄せ鍋の小鍋立て、というのもあんまり感心しないな。

じゃっぱ汁とかいうのもよくないな。名前がよくない。

キムチ鍋もやめたほうがいいと思うな。

辛くて激しく咳きこんだりして、水！　水！　とか叫んで、一人で騒いでいることになって小鍋立てが台無しになると思うな。

鍋物は最後にゴハンとかうどんを入れたりするが、だからといって小さな土鍋の小鍋立てに、うどんや食べ残した海老天とかカマボコを入れるのもやめたほうがいいと思うな。

それだと小鍋立てではなく、ただの鍋焼きうどんになってしまう。

清貧、孤高、高潔の小鍋立ては、材料がゴタゴタしていてはいけない。
ネギに白菜にほうれん草たっぷりなんてのも、なんだか所帯じみてよくない。
シンプル、これでなければいけない。
湯豆腐。これに尽きる。
少し譲って鱈ちり。ここまで。

つまり材料は豆腐と鱈。
これだけ。
と、鍋の種類と材料は決まったが、小鍋立てにはもっと根本的に大切なことがある。
これを誤ると小鍋立てそのものが台無しになってしまうほどのものです。
鍋です。鍋の形です。
いいですか、例えばですよ、居酒屋のメニューに湯豆腐があるとしますね。
値段が600円というから、多分小鍋立て仕立てで持ってくるのだと思う。
はたして小鍋立て仕立てで持ってきたのだが、その鍋がアルミの片手鍋だったらどうします。

下宿時代に即席ラーメンを作って食べたあの片手鍋、その中に水と豆腐だけ。

多分、池波正太郎さんは怒ると思うな。

これはもう小鍋立ての絶対的な条件なのだが、小鍋立ての鍋には、鍋の両側に、あれは何ていうのかな、耳みたいな持つとこ、あれが付いていなければ小鍋立ては成立しないのだ。

絶対に成立しないのだ。

不思議だと思いませんか。

片手鍋の湯豆腐だって、湯豆腐であることに変わりはない。

だけど池波さんが怒る。

やっぱり小鍋立ては、江戸時代(?)あたり以来の、古い歴史をいまだに引きずっているせいなのかな。

そういうところに郷愁を感じつつ食べるものだからなのかな。

でもおれ、小鍋立てなんてめったに食べないな、というより、殆《ほとん》ど食ったことないな、と思っている人は多いと思う。

でもそういう人でも実はちゃんと食っているのだ。

気づかずに食っているのだ。

和風旅館に泊まると夕食のテーブルに決まって一品、固型燃料つきのコンロの鍋物が出てきますね。

まぎれもなく、あれは小鍋立て。

同じ小鍋立てではあるが、これまで述べてきた小鍋立てとはちょっと様子が違う。

いま流行のヘンテコな色とデザインの浴衣を着せられたおとうさんが、あの小鍋立てのフタを取り上げて、アッチッチなどと叫んで取り落としたりしているところに、孤高、高潔を求めるのは少し無理があるようだ。

◉ふと、のお刺身盛り合わせ

ふと、
「刺身でゴハン食ってみたいな」
という気になった。
前後に何の脈絡もなく、急にそう思った。
秋も深まってきたせいだろうか。
秋の深まりと「刺身でゴハン」とは何の関係もない。
ふと、の力である。
ふと、は偉大なり。
これからは、ふと、を大切にして生きていこう、そう思った。
そう思ったので、すぐ近所のスーパーへ刺身を買いに行った。
ちょうど昼めしどきでもあった。
このときぼくの頭の中にあった刺身とはマグロのことだった。
〝刺身でゴハン〟は、イコール〝マグロでゴハン〟のことだった。

この人は何を何にひたして暗い気分になったのでしょうか

ま、普通そうですよね、「今夜は刺身でゴハンよ」と言われれば、誰でも、「マグロの刺身でゴハンだな」

と思う。

ところが、いざスーパーの刺身コーナーに行ってみると、一番目につくのは「刺身盛り合わせ」だった。

マグロだけ、というのはほんの少ししか並んでいない。

三種盛り合わせというのが799円で、「マグロとハマチとイカ」とか「マグロとタコと鯛」とか「マグロとイカと甘えび」など、マグロを中心にした盛り合わせになっている。

マグロだけを頭に描いてここに来たのに、頭の中は早くも「マグロと……」の「と」以下の部分で一杯になっている。

それぞれが魅力的なんですね。大いに迷う価値のある連中ばかり。

ウーム、と思わずアゴのところに手をやって迷う。

マグロとハマチとイカか、マグロとホタテとタコか、マグロとタコとハマチか……。

タイラバヤシかヒラリンか、ヒトツとヤッツでトッキッキ、イチハチジュウのモークモクというのが落語にあったっけ、と、ふと思い出す。

これとて、いま抱えている問題と何の関連もない。

やはり、これも、ふと、の力だ。

ふと、横を見ると、五十がらみのおばさんがアゴに手を当てて三種盛り合わせをじっと睨んでいる。

彼女もまた「マグロと」の「と」以下で悩んでいるらしい。

そのとき、ふと、思った。

人間て何かに迷うとき、なぜアゴに手を当てるのだろう。

腰に手を当てて迷ってもいいはずだし、耳に手をやって迷ってもいいはずではないか。

「仕草による人間学」とかいう本があったような気がするが、これは研究に値するテーマだな、あとで研究に取りかかってみよう、そう思った。

これも、ふと、が与えてくれたテーマである。しかも、ついさっき、ぼくが、ふと隣を見て、アゴに手を当てている五十がらみのおばさんを発見したことに、このテーマの発生の源がある。

ふと、は偉大なり。

結局、ぼくが購入したのは「マグロとイカと甘えび」だった。

今夜はお刺身よー
ということは〆鯖だナ
と思う人は少ない

三種盛り合わせをテーブルに置き、パックめしをチンし、小皿に醤油を注ぎ、ワサビを小袋からひしぎ出してお醤油と混ぜる。

ワサビは、その都度刺身の上にのせて食べるのが正しいらしいが、こういう本物じゃないものは醤油に混ぜ込んでちょっとドロッとなっているところへ刺身をひたし、裏表返してようくまぶしてゴハンにのせて食べると、鼻にツーンときて旨いんだな、これが。

好きなんだな、これが、ぼくは。

そういうわけで、ふと、思いついた「刺身でゴハン」の昼食は順調に推移していったのだが、食べすすんでいくうちに、どういうわけか少しずつ侘《わび》しい気持になっていくんですね。

おかずだけで７９９円もする豪勢な昼めしを食べているのに、だんだんうらぶれた気持になっていく。

なぜなのだろう。

たとえばサラリーマンの昼食風景として、課長が自分の机でこういうパック入り７９９円の刺身盛り合わせの昼食をとっているとしますね。

箸の先で一切れつまみ上げ、それを小皿の醬油に裏表ようくひたし、したたる醬油を小皿の上でちょっと揺すって切り、それをゴハンにのせていま口に入れたところだ。

このフタがなかなか
はずれないの
なんとかならんか

それをあなたが見ていたとしたらどう思うでしょうか。

なんだか貧乏くさくて、侘しくて、うらぶれていて、

（そうまでして刺身食いたいか）

と思うのではありませんか。

そうまでして、と言ったって、そうまでしなければ刺身は食べられないことはわかっているのに、つい、そうまでしてと思わせるところがこの一連の行為にはあるんですね。

スーパーで７９９円で買ってきた刺身だからそう思うんじゃ

ないの、という意見もあると思う。

そうじゃないんです。

どうもこの「一切れを醤油にひたして揺すってしずくを切って……」というこのくだりの行為全体が陰気くさいんだと思う。

陰気くさいから、ホラ、お花見のとき、お刺身を食べてる人、見たことないでしょう。

お花見の席で、お刺身の一切れを小皿の醤油にひたし、しずくを切っている人、あんまり見たことがないでしょう。

なんてですね、せっかくの豪華盛り合わせを食べながら、ふと、暗くなってしまうのだから、ふと、は怖い。

これからは、ふと、を大事にしないで生きていくことにしよう。

◉コンビニおでん食いたい

「コンビニのおでんを食べてみたい」

ずうっとそう思っていた。

コンビニで買い物をし、カゴを下げてレジの前に並んでいると、レジ脇のおでん鍋からいい匂いが漂ってくる。

人間は空気を吸って生きている動物であるから、おでんの匂いの混じった空気が自然に鼻の穴から入ってくる。

嫌煙権というのは、煙の混じった空気を吸い込みたくないという権利である。

好でん権というのは、おでんの匂いの混じった空気を吸いたいという権利である。

嫌でん権を主張する人はあまりいないらしく、コンビニのレジ前の行列はいつも至って静かだ。

人間、いい匂いがしてくればいい匂いの方を見る。

するとそこにはおままごとみたいなおでん鍋が六つに仕切られていて、コンニャクや大根やチクワなどが、妙に静かに、妙にひっそりと、妙に元気なくツユの底に沈んでいる。

ふつう、おでんの鍋は、フツフツとかコトコトとか、そういった動きがあるものだが、コンビ

ニのおでんの具はコトリとも動かない。
ん、もー、煮えるなら煮える、煮立つなら煮立つ、はっきりしなさい、と思わず言いたくなるような、煮えきらない態度で鍋の底に静かに沈んでいる。
おもちゃのようなおでん鍋の上には、これまたおもちゃのような「おでん」と書かれたノレンが下がっていて、その横に、これはちゃんとした赤提灯がちゃっかり下がっている。
ちゃっかりという表現はこの場面にはふさわしくな

いように思えるが、〔行動に抜け目がなく、はた目にはずうずうしく映るさま〕と広辞苑に言われると、ほうら納得ですね。

といったように、コンビニのおでんコーナーはなんだか楽しそうだ。

完璧なマーチャンダイジングの牙城であるコンビニエンスストアの中で、おでんの周辺だけちょっとお茶目になっている。

なんとなくお祭りの屋台風、なんとなく学園祭風だから、レジのおねえさんも、おでんの客の対応のときだけ気がゆるみ、厳守すべきマニュアル対応をつい忘れて、

「おでんですかぁ。おでんお好きなんですね。いまでしたら大根がようく味がしみてましてよ」

なんて言うはずないよな、ないけど例えばカップ麺の客とかコーラの客に対する対応とは少し違ってくるんじゃないのかな。

うーん、なんだかどんどん楽しそうに思えてきたぞ、それにさ、おでんのとき、バーコードどうするんだろ、お箸ですくい上げたチクワにバーコード当てるんだろうか、するとピッとかいって値段が出るんだろうか、ようし、きょうは、ま、止めとくけど、今度思いきっておでんを買いに来よう、コンビニに行くたびにそう思いつつも、いまだに実行していない。

だって恥ずかしいじゃありませんか。

子供とか若い人ならいざ知らず、いいトシこいたおやじがコンビニのおでん鍋の前に立って、若い女の子に「コンニャクとチクワと卵と、あ、卵二つにしてね」なんて言っているところを想

像してみてください。

しかもそれが夕方六時ごろだと思ってください。

うしろに立って順番を待っている茶パツの青年はこう思うはずだ。

「おでん屋に行けよ。おでん屋もうやってるよ。すぐそこにおでん屋あるじゃないか」

それでもぼくはコンビニのおでんを食べたい。

レジのおねえさんに「ようく味がしみてましてよ」と言われたい。

某月某日。夕刻。

ついに決行の日がやってきた。

コンビニへ行っておでんを買ってくるのだ。

だが近所の人や知ってる人に、コンビニでおでんを買っている姿を見られたくない。

おでんのところで、知ってる人に、

「やあ、今夜はおでんですか」

などと言われたくない。

遠くのコンビニに行くことにした。駅のずっと向こうに確かサンクスがあった、よし、あそこにしよう。

実際にコンビニのおでんを買うとなると、どういう成りゆきになるのだろうか。

シミュレーションをしてみる。

店に入る。

レジのところに直行する。

コンビニでは原則的に客と店員はあまり言葉を交わさない。

客はカップ麺をカゴに入れて差し出せば「カップ麺を購入したい客」として了解される。

弁当をカゴに入れて差し出した人は「弁当を購入したい客」として了解される。

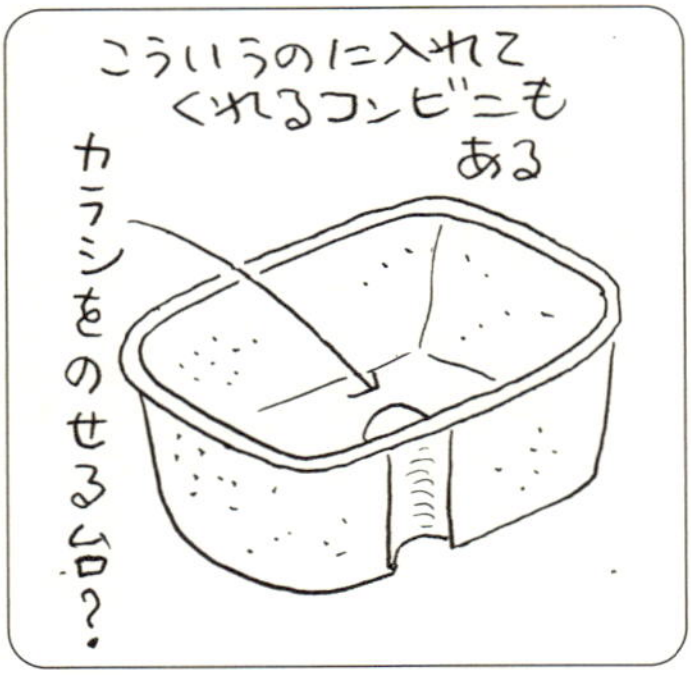
こういうのに入れてくれるコンビニもある
カラシをのせる台？

　だが、おでんの客は手ぶらだ。

手ぶらでレジの前に立った客は何の客かわからない。

そこで何か言わなくてはならない。何て言うのか。

「あのぉ、おでんなんですけど」

「あのぉ、おでん、いい？」

「わたくし、おでんなんですけど」

　これでは飛行機でスチュワーデスに「アイアム　コーヒー」と言うのと同じになってしまう。

　ままよ、行けば行ったで何とかなるさ、と、シミュレーションを途中で止めて意を決して出かけて行った。

そのサンクスで、ここまで曲がりなりにも想像していた展開と、あまりに違う事態に遭遇して立ち竦《すく》むことになる。（以下次項）

◉コンビニおでん食いたい　つづき

夕刻、暮れ六つ、サンクスの前に立つ。

いよいよコンビニでおでんを買うのだ。

街はすでに暮色に包まれて蒼然《そうぜん》。

サンクス内部、まばゆいばかりの照明燦然《さんぜん》として耿々《こうこう》。

冬ざれの店の外にたたずむ人影一つ。

矯《た》めつ眇《すが》めつ、ときに爪先立ってコンビニ内部を窺う。

これからいよいよサンクスの入口から入っておでん鍋のところに直行するわけだから、内部の状況をあらかじめ把握しておく必要がある。

レジは若い娘ではなくおばさん一名のみ。

内部の客二名。一名は目下レジ中、もう一名は店内散策中。

いつまでもこうして外から内部を窺っているわけにはいかない。

夕暮れどき、コンビニ内部を爪先立って窺っている怪しい人物。

最近コンビニ強盗がはやっているというから……まずいな。

意を決して強行、突入、押し入る。

押し入る、なんて、すでにして強盗だな。

おでん鍋のところに直行、目下レジ中のおばさんにかねて用意のセリフを言う。

「あのォ、おでんなんですけど」

「ハイハイ」と答えてレジを済ましたおばさんがおでん鍋のところにやってきて「何にしましょう」と言うはずであった。

だがおばさんは思いがけない言葉をレジをしながら発したのである。

「自分で取ってください」

え？　こ、これ、じ、じぶんで取るの？　じ、じぶんで取れったって、え？　どれをどうやってどう取るの？

あまりにも突然の予期せぬ展開にうろたえ、と、とりあえず容れ物だな、うん、ここにあるこの発泡スチロールの容器がそれだな、（大）と（小）とあるから（大）のほうを取るだな、でもって、この大きな箸で、このチクワをこう挟むだな、と、なんだかすっかりアガってしまってヒザがガクガク震える。

し、しかし、自分ちのおでん鍋ならいざしらず、これって人んちのおでん鍋だろ、人んちのおでん鍋に勝手に箸突っこんでいいのかだな、屋台のおでん屋でこんなことしたら、いくら人のいいおやじでも怒るだな、エトエト、チクワの次は大根だな、さつま揚げだな、ごぼう巻きも取るだな、コンニャクも取るだな、これで五個か、こんなもんでもういいんだけど、たった五個ではお金のない人だと思われるのイヤだから、ミエ張ってチクワをもう一本、ハンペンを一個、いや、もう一個、しかしコンビニのおでんでミエ張ってどーする。

思いは千々に乱れ、ヒザはガクガク震え、それにしてもコンビニのおでんの前で震えている人ってまずいないだろうな……まずいな。

ふつう、おでん屋でおでんを食べるときは、まず食べたいものを二、三個もらい、それを食べてから次に食べたいものを考える。

最初に食べたいものを一挙に注文し、皿に山盛りにして食べ始める人はいない。

だがコンビニのおでんは〝最初に一挙、皿に山盛り〟を強制される。

これが辛い。とても辛い。

次から次へと食べたいおでんが決まっていく人って、いるか？

しかもです、誰が急《せ》かせているというわけではないのに急かされている気がする。

　この問題が未解決なのに、更にもう一つ、新たな問題がいつのまにか発生していたのである。

　容器は（大）のほうを選んだのだが、この（大）はドカ弁よりひとまわり大きくひとまわり深い。

　一方、コンビニのおでんはサイズが極端に小さい。全部で八個のおでんはドカ弁の底にちょっぴりという感じだ。

「だったら（小）のほうを取りなさいよ」

と店側としては〝（大）を取った責任問題〟を追及したいところであろう。

　あとでレジのとき、きっとそのことを非難する目差しがおばさんから送られてくるにちがいないのだ。

どうもまずいな、と思うからよけいヒザが震える。

ヒザを震わせてはならないところで震わせていると思うからよけいヒザが震える。

いくらなんでもこれ以上は食べきれない、これで勘弁してもらおう、最後におつゆだ、おつゆをこう入れて、と、備えつけのおたまで一杯すくって入れたところでまたしても大問題が発生した。

おつゆをどのくらい取ったらいいのか。

というより、どのくらい取ってもいいのか。

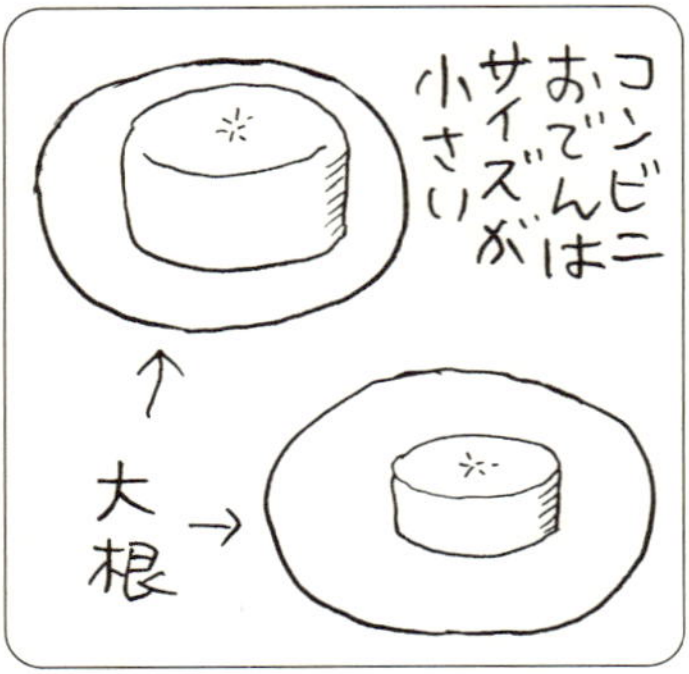

このドカ弁だと、おたまで、七、八杯はラクに入りそうだ。

おでん種のほうは、一つ一つ値段を明示してあるが、おつゆに関しては何の説明もない。

ということは、おつゆに関してはお客様の人品骨柄、品性、公徳心にまかせます、という姿勢らしい。

三杯、四杯、五杯……。

決して不正を働いているわけではないのだがなんだかオドオドしてくる、まてよ、すでに不正の段階に入っているのかもしれないな、と思いつつ、もう一杯。

タップンタップンとレジに持っていくと、おばさんはおでん種の名札のバーコードに読取機を押しつけて計算し、つゆのことには一言も触れずにフタをし、レジ袋に入れて渡してくれたので、それを提げて夕暮れの街をタップンタップンと帰ったのでした。

◉コンビニ中華マン食いたい

おじさんにとっての〝コンビニにおける冒険〟は二つある。

その一つが〝おでん購入〟であり、もう一つが〝中華マン購入〟である。

なぜこの二つが冒険なのか。

おじさんにとってこの二つはとても辛く、とても気恥ずかしく、とても世間体を気にする行為だからだ。

コンビニに並んでいる何万種だかの物品のうち、湯気が上がっている商品はこの二つだけだ。

おじさんはこの湯気に弱い。

コンビニには〝湯気系シルたれもの〟と〝湯気系シルなしもの〟とがあって、おでんが前者、中華マンが後者である。

おでんは、買っているとき、一つ一つの物品から湯気が上がり、かつシルがたれる。

おじさんは、この〝物品からシルがたれる〟というところにすごく傷つく。

〝シルのたれるような物品をコンビニで買っている紳士である自分〟に傷つく。

この最大の難物であるおでんのほうは、つい先日、傷つきながらもなんとか購入することがで

この人は
何を
口の中に
押しこんで
いるのでしょう？

きた。
その顚末は前項で書いた。
おでんに比べると中華マンはいくぶん気が楽だ。
中華マンはシルがたれない。
おでんのようにシルで傷つく部分がない。
その中華マンに、いよいよ今回挑戦するのだ。
かつて、中華マンにはのどかで牧歌的な時代があった。
餡マンと肉マンしかなかった時代である。
買うときはそのどちらかで悩めばよかった。

いまは大変なことになっている。

餡マン、肉マン、ピザマン、豚角煮マン、チャーシューマン、クリームチーズマン、きのこグラタンマン、月島もんじゃマン、ホワイトカレーマン、つゆだくマン、……実に三十種以上あるという。

われわれは若いときコンビニが存在しなかった世代であるから、いまだにコンビニの流儀にとまどう。

中華マンはどうやって買うのか。

中華マンのケースには、「ピザマン」とか「五目エビ肉マン」とか一つ一つ名前が表示してある。

コンビニによっては中華マンのケースとレジのところがかなり離れている店もある。

常日頃観察していたところによると、そういう店では、客は直接レジのところへ行き、買いたい中華マンの名前を次から次へと店員に告げている。

ぼくには到底それはできない。

中華マンケースのところで（角煮マンとつゆだくマンと月島もんじゃマンと五目エビ肉マンにしよう）と思ってレジのところへ行くと、エート、角煮とつゆだくと、エート、あと何だっけ、と、あとが出てこない。

だから外から見て、レジと中華マンのケースがくっついている店を選んだ。選んで突入した。

表示を見ながら、

「カクニマンとツユダクマンとツキシマモンジャマンとゴモクエビニクマンをください」

「カクニとツユダクと？」

「ですからカクニマンとツユダクマンとツキシマモンジャマンと……」

「ツキシマモンジャと？」

中華マンは
ファストフードでもなく
スローフードでもなく
あせりフードである
冷めちゃう
冷めちゃう

「ですからゴモクエビニクマンッ」

と、ンッのところに怒りを込めて言ったのだが、そこでハッと気がついた。

ぼくが一つ一つに「マン」をつけて言っているのに、店員は「マン」をつけないで言っている。

店員にしてみれば、ふだんマンをつけない言い方を聞き慣れているので、マンをつけると全体の言葉のつらなりがはっきりしなくなるらしい。

おじさんは深く傷ついた。

傷ついて帰途についた。

トボトボと言いたいところだが駆け足に近かった。

一般に中華マン購入後の歩速は、行きのときより速いと言われている。

（冷めないうちに）の思いが、どうしても足を速くさせる。

コンビニまで行きに4分かかったとすると、帰りは2分20秒という統計がある。（ような気がする）

（熱いうちに）の思い激しく、玄関から転ぶようにテーブルに走り寄る。

まず角煮マンにかぶりつく。

するとこれがなんとも旨いんですね。

つゆだくマンは
皿にのってる
つゆがこぼれる場合がありますのでご注意ください
つゆだく
注意

熱くて旨い。ハフハフ旨い。

豚角煮の味つけが濃いめで、肉のとこ旨く、脂身のとこ旨く、煮汁のしみた皮が旨い。

今度買うときは、角煮をほじり出してビールのつまみとし、皮は皮でバラバラにして皿に盛ってお箸で食べよう、なんて思った。

あとのツユダククマンとツキシマモンジャマンとゴモクエビニクマンは、どれもこれも同じような味がし、食べていて食べ分けられず、ツユツキシマモンゴモクニクマンを食べているような気がした。

四つ目の五目エビ肉マンを食べようとしたときだった。

ふとヘンな考えが浮かんだ。

中華マンは、口の中に丸ごと一個いっぺんに入るものなのかどうか。

どうです？　どう思います？

やってみたことありますか。

やってみたんです。

ぼくは口がかなり大きいほうなのだが、それでもやっとなんとか入りました。でもかなり苦しかったです。

みなさんは、やらないほうがいいと思います。

◉夢のTボーンステーキ

Tボーンステーキというやつを一度食べてみたい。肉のてっぺんとまん中に骨がくっついた、荒々しい感じのステーキを食べてみたいとずうっと思っていた。

いや、まてよ、一回食べたことがあるような気がする……が、やっぱりないな、うん、ない。

昔、西部劇で、大きな骨のついたステーキを、ジョン・ウェインかなんかが食べているのを見て、それを勘違いしたのかもしれない。

Tの字の骨の内側に沿ってナイフを切り進めていく様子が、なんだかとても楽しそうだった。

あれをぼくもやってみたいな、と思っていた。骨の内側にナイフを沿わせながら切っていく途中、刃先が骨につっかえて少し難渋したりするところが楽しそうだった。

食べてみたいと思っても、Tボーンステーキがメニューにある店はめったにない。

自分で焼いて食べようと思っても、骨つきのステーキ肉はスーパーに売っていず、肉屋に売っていず、デパートでも売っていない。

人間は肉塊を
手に持ったとたん
ガルル化する
ガルルー

食べたい、どうしても食べたい、というより、あのナイフ捌《さば》きをやってみたい、と思いつつも早くも過ぎる幾十年。

そんなある日、ついにTボーンステーキを出す店があるという知らせが入った。積年の大願ここに実る。国産牛をTボーンステーキに使っているという。

注文して待つことしばし、鉄皿の上でジュージュー音を立てながらやってきました夢のTボーンステーキ。

うわっ、でかい、でかい、想像を超えてでかい、ウチワぐらいでかい。

Tの中央の骨の左側がヒレ肉、右側がサーロインだという。

えっ、ということは、ヒレステーキとサーロインステーキの両方をいっぺんに食べられるわけ？

これって、ヒレとサーロインの〝盛り合わせ〟ってわけ？　そんな贅沢なことしていいわけ？

値段は6500円。積年の悲願の成就だ。やむをえまい。

改めてジュージュー言ってるウチワをじっと見る。

ふつうのステーキは、表面がのっぺりして平べったいただの肉片だが、こっちはいろいろと変化に富んでいる。

てっぺんとまん中に骨があるわ、フチに沿って長い脂身がついてるわ、骨と肉がくっついているわで、肉は縮もうとして縮めず、不自然にねじれ、反り返り、荒々しい肉塊となっている。

ふつうのステーキとTボーンステーキとではこうも違うものなのか。

肉に骨が混じっているだけで、〝かつて生きていたものの亡骸《なきがら》〟という感じがする。

いってみれば、この骨は、一頭の牛の遺骨である。

〝牛の一分《いちぶん》〟を、その牛が、その遺骨でこうして示しているのだ。

そうか、そうであったか、と、故人ならぬ故牛を悼《いた》みつつナイフとフォークを取りあげる。

ふつうのステーキだと、ナイフの動きは常に直線的になる。

Tボーンステーキの場合は、Tの〝脇の下〟あたりはカーブしつつ切っていくことになる。

ナイフの動きは、直線、曲線入り乱れる。

ここんとこが楽しい。

ナイフをカーブさせていくところが楽しい。

Tボーンステーキの肉質よろしく、味濃く、焼き加減絶妙、肉でも魚でも骨がらみのところがおいしいというが、Tボーンステーキは骨に近い肉がたくさんある。

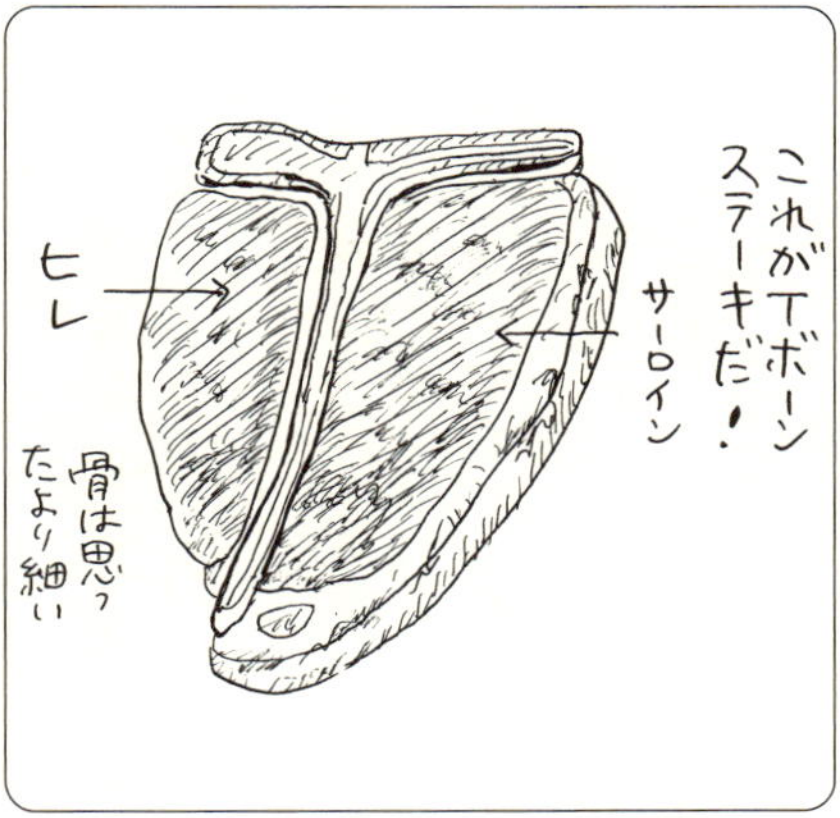

骨から離れたところと、骨に近い肉とでは味が違うところが嬉しい。

そうやってほとんどの肉を食べ終えたあと、こんどは骨にこびりついている肉たちを削り取って食べることになる。

すね肉のような、すじ肉のような、脂身を含んだ肉など、かなりの量の肉が骨にくっついている。

それらの肉はもはやナイフでは削り取れないから、骨の部分を手で持って食べることになる。

手で持って食べたあとのべたつきを拭うためのおしぼ

りが用意されている。

骨つきの肉を手で持った瞬間、なんだか血が騒ぐのを覚える。

目が次第に三角になっていき、野性の本能のようなものが身内に漲《みなぎ》り、自分が兇暴化していくのがわかる。

骨つき肉を手に持った瞬間、人ははじめ人間ギャートルズになるのだろうか。

ガルルー、と低く唸《うな》って骨つき肉に齧《かじ》りつく。

Tの脇の下のあたりの肉は齧りつきにくく、どうしても頬のあたりに支え、それでも無理やり食いついて引き剝がす、引き毟《むし》る、剝ぎ取る、唸《うな》る、食いちぎる。

歯では無理な凹《へこ》んでいるところの肉は、皿の上に置き直し、ナイフで抉《えぐ》る、剝《へず》る、穿《ほじ》る、唸《うな》る、刮《こそ》げる、ガルル、削り取る。
普段あまり使わないような漢字でしか表現できないような行為がえんえんと続く。
これらの中で、毟《むし》る、穿《ほじ》る、刮《こそ》げるなんぞは、字に実感がこもっていてなんだか楽しい。でも毟《むし》るは、毛の薄い人はドキッとするんじゃないかな。
ようやく全部食べ終え、おしぼりで手を拭い、口の周りも拭

き、居ずまいを正して思ったのは、

「あー、おいしかった」

というよりも、

「あー、面白かった」

という気分のほうが強かったのでした。

◉卵サンドの安らぎ

「さて」

とか言って、いざ食べものを食べ始めるとき、

「さあ、どんな味かな」

と大きく期待する食べものと、何にも期待しないで食べ始める食べものとがある。

カッパ巻きなんか後者じゃないかな。

カッパ巻きを食べるとき、何にも期待しませんよね。

カッパ巻きって、みんなつまらなそうに食べてますよね。

何にも期待してないからでしょうね。

「果たしてこのカッパ巻きはおいしいのか。おいしくないのか。おいしくなかったら許さんけんね」

なんて思って食べ始める人はまずいません。

アンパンなんかもそうですね。

誰もアンパンには大きな期待を持たない。

卵サンドでゴハン
よくやります
卵サンドで日本酒
よくやってますよ
いるか？そんな奴

「そんなにおいしくなくても構わんけんね」

と思っている。

ラーメンも昔はそういう食べものだった。

「もし、おいしくなかったら許さんけんね」

なんて思いながら食べ始める人はほとんどいなかった。

いまは逆になった。

許さんけんね系の代表的な食べものになった。

ここにおいて、食べものには〝構わんけんねもの〟と〝許さんけんねもの〟の二大主流があることが明白となった。

サンドイッチにも〝構けんもの〟がある。

卵サンドである。

同じサンドイッチでも、ハムサンドなんかだと、一個つまみあげると一応ハムを見る。

どんなハムか。いいハムか。安物のハムか。

カツサンドとなると、更にキビシク、カツの質を点検する。

卵サンドとなると、人は急に寛容になる。

許す、という気持になる。

パンにはさまっている卵のところを、キビシク点検している人を見たことありますか。

卵サンドは人の心を和ませる。

卵サンドは〝許けんもの〟の対極の食べものと言えるかもしれない。

〝許けんもの〟と対峙するとき、人はほんの少し緊張する。

ラーメンの場合は、その緊張がずっと継続する。

スープはちゃんとしているか、麵にぬかりはないか、メンマの質はどうか、チャーシューに不首尾はないか、一つ一つ吟味し、首をかしげ、目を中空に据えたりする。

決して心安らかに食事をしているわけではない。

食事は緊張から解放されるひとときでもある。

サラリーマンならネクタイを緩《ゆる》める安らぎのひとときなのに、メンマを吟味したりして緊張している。

そういうことを一切させないのが卵サンドなのです。

ごらんなさい、卵サンドのあのグニュグニュを。

吟味の余地を与えないあのニュルニュルを。

あのグニュグニュのとこを食べて、ウーム、なんて唸って目を中空に据えたりする人、いるかな。
なーんにも期待せず、なーんにも考えず、一個つまみあげて口に放りこめば、パンふわふわと柔らかく、ゆで卵の白身のみじん切りコクコク、つぶれた黄身ニュルニュル、マヨネーズぬめぬめ、そして、ゆで卵本来の匂いはこれです、というような卵の匂いが口の中にこもる。
ゆで卵の匂いはゆで卵だけのほうが本来の匂いなのに、いや、ゆで卵の本来の匂いは卵サンドのゆで卵の匂いのほうです、と主張しているような、うん、そう言われればそうかもしれない、と思わせるような匂い。
この匂い、ぼく好きだな。

この匂いで心がほぐれる。

そうして、卵サンドのどこにも歯に当たるような堅いものがない。

卵とマヨネーズのユルユルしたものがフワフワしたものにはさまれていて、すべてが柔らかく、すべてが緩やか、すべてが滑らか、そのことが安心を生む。

なーんも心配せんでえーよ、と言ってくれている。

こんなに安心しながら、心を許しながら食べられるものって他にあるだろうか。

戦闘意欲みたいなものが一度だって起こらない。

カツサンドの場合を考えてごらんなさい。

あの食いちぎりのところの表情を頭に浮かべてください。

ああいう表情をしなければならない場面、卵サンドにありますか。

ああいう表情をしながら、卵サンドを食べている人、見たことありますか。

みんな安心しきって、穏やかに、楽しそうに卵サンドを食べている。

この安心はどこから来るのでしょう。

理由があります。

卵サンドの具はまずゆで卵。
そしてマヨネーズ。マヨネーズは何で出来ているのでしたっけ。
そうです、卵の黄身から作る。
つまり卵サンドの具は卵一家なのです。
「フワフワのお布団の中の卵の国へようこそ」
と、ニコニコと迎えてくれるので、ついつい安心してしまうというわけなのでした。

◉イクラの魔力

イクラに接するとき、どうもぼくは素直になれない。

いろいろ屈折する。

目にしたとたん、スッと箸が出るということがない。

たとえば同じ魚卵のタラコ。

見たとたん、何のためらいもなくスッと箸が出る。

タラコで屈折する人って、いるのかな。

最近のおせち料理にはイクラが登場するようになった。

カマボコも伊達巻きもカズノコもお重《じゅう》にじかに詰めてあるのに、イクラだけは特別扱いになっている。

柚子の中身をくり抜き、くり抜いた穴にギザギザの彫刻を施し、その中にイクラを詰めこむ。

詰めこむ、なんて不謹慎だな。

お入りになっていただく、だな。

ホーラ、すでにして料理人も屈折している。

もっと盛れーッ
ケチるなーッ
もっと盛ろうが盛るまいが何の損得もない

食べる側も屈折しているから、おせちのイクラに手を出す人はいない。

顔に両手をあてがい、指の間からイクラの様子を窺ったりしている人もいる。（いません）

イクラは箸では取りづらいから、本来なら主人側はスプーンを添えるべきなのに、わざと添えないで知らん顔している。

知らん顔はしているが、ときどき横目でイクラを監視している。

ぼくがいちばん屈折するのはイクラ丼です。

あれには参る。

テレビのグルメ番組で「北海道うまいもの巡り　海鮮丼編」なんてのをやっているのを、「参ったなー」

なんて言いながらいつも見ている。

イクラ丼の何に参るかというと、まず料理人が丼にゴハンを盛りますね、そしていよいよその上にイクラを盛っていく段階に立ち至る。

料理人がスプーンの（大）のほうでイクラを一杯、二杯、三杯、四杯と盛っていく。

三杯目あたりでなんだかハラハラしてきて四杯目で胸がドキドキしてくる。

「ああっ、あんなに……」

なんて思わず声が出て両手で胸を押さえたりする。

この段階で丼の中のゴハンの表面の半分が厚いイクラで覆われている。

この調子でいくと、あと四杯を盛ることになるわけで、いいのか、あと四杯も、合計大匙八杯、そんなに盛って大丈夫なのかおやじ、太っ腹だなこのおやじ、そういえばいい顔してる、まさに福相、と、尊敬の眼差しで見ていると、おやじはそこで盛るのをやめ、四杯盛ったイクラをスプーンで平らにならし始め、余白のところを埋めるのに余念がなく、ついに全域はイクラで覆われる。

確かに全域は、イクラならざるところなしという状態なのだが、下のゴハンが透けて見えるほど層は薄いという、技術の粋をつくした技の持ち主だったのだ。

改めておやじの顔を見ると、まさに貧相。

このようにわれわれはイクラ丼と聞くとイクラの量にこだわる。

イクラ丼と聞いただけで、で、そのイクラの量は、というふうに、思いはすぐそっちへ行く。

イクラ丼、と聞いただけで、で、どうなんだイクラの量は、と、わけもなく怒りがこみあげてきて、たくさん入ってんだろうなッ、と、眉間にタテの皺が寄り、ケチったら承知せんけんねッと、目が三角になっていく。

どうもぼくには、イクラ丼と聞くとすぐに、してその量は、と量が不安になり、その不安がケチられる、という被害妄想を呼び起こし、その結果目が三角になる、という一連の〝イクラ反射反応〟みたいなものがあるようなのだ。
この〝反射反応〟は経験を積むことによって鍛えられていき、イクラ丼→量→少ない→被害→目が三角、という思考の速度がどんどん速くなっていって、最近では、イクラ丼→目が三角、というところまできてしまってい

る。

イクラをケチるおやじがいる一方、本当の太っ腹おやじもいることはいる。

これはこれでやはり素直になれない。

ハラハラしながら見ることになる。

こういうおやじはイクラをどんどん盛る。

丼の中のゴハンの表面が充分な量のイクラで覆われているのに、おやじは更にもう一杯盛り、更にもう一杯盛る。

丼の上はイクラの山になっている。

それなのにおやじは更にもう一杯盛り、丼からイクラがパラパラとこぼれ落ちる。

「あっ、もうよしなさい」

と、ぼくは思わず叫び、前のめりになって、両手で何かを扇《あお》ぐような手つきをしている。

いつのまにか、いまおやじが盛っているイクラが自分のものになっていて惜しがっているのだ。

実際にはこの映像は、自分とは何の関係も利害もない絵空事であるのに、画面に映っているイクラはおやじのものであったり、いつのまにか自分のものになったりして一喜一憂しているのだ。

恐るべきイクラの魔力。

おやじはいま、再度イクラの容器にスプーンを突っこもうとしているところだ。

「エッ、それってまさか、更にもう一杯盛るつもりじゃないだろうね。よしなさい。本当によしなさいってば」

と、扇ぐ手つきは更に激しくなる。

恐るべきイクラの実力。

◉力うどんのチカラ

力うどん……。

まずこの文字のつらなりをじっと見つめてください。

それから、チカラウドン、と声に出して言ってみてください。

どうです、なんだか体の中に力が湧いてきたような気がしませんか。

では、もう一度いってみましょう。
チ、カ、ラ、ウ、ド、ン。
チカラ……と声に出していくうちに、どんどん声に力がこもってきて、最後のドンのところでは、ドンッ、と声がひときわ大きくなったのではありませんか。

鼻息も、発音前よりかなり荒くなっていて、血圧なんかもたぶん高くなっているはずです。

料理の名前だけで、これだけ興奮する食べ物はめったにありません。

かつ丼なんかも名前だけでいくらか興奮するものの、力が湧いてくる、というところまではいかない。

力うどんは名前だけで興奮するのだから、実物を目の前にしたら一体どういうことになるのか。

日本人にとって力はいかに大切か
力持ち
力ずく
力の限り
力落とし
力一杯
力抜
力競べ
力仕事
力自慢
力添え
力付ける
力になる
力任せ
力業
たくさんある

鼻息と血圧はどうなるのか。

と誰もが思うのだが、残念ながら実物そのものにはそれほどの実力は感じられない。

白いうどんの上に白い餅。はなはだ淡泊な食べ物という印象で、鼻息が荒くなったり血圧がどうこうするような食べ物にはどう見ても見えない。

われわれはふだん、力うどんはめったに食べない。昼めしに何を食べようか、というようなとき、力うどんが浮上してくることはまずない。

のだが、正月を過ごして〝餅慣れ〟したせいか、ふと力うどんを食べる気になって蕎麦屋に行った。

注文を取りにきた白ズキンのおばちゃんに普通の声で「力うどん」と言ったのだが、そのとき店の中にいた客（四名）の箸が一瞬止まったような気がした。

やはり力うどんは特異な注文なのだろうか。

そこで〝四名のハッ〟の原因を考えてみた。

きつね、たぬき、天ぷらうどんの注文に対しては誰も何の思いも抱かない。

力うどんを注文したぼくに対して、四名の客は、

「何かある人だな」

という印象を持ったのだ。

その何かとは何かというと、

「ここで力をつけなければならない事情のある人」

あるいは、

「ここ一番、自分を奮起させなければならない事情のある人」

ということになる。

少し緊張し、身を硬くして待っていると、やがて力うどんが到着した。

少し焦げ目のついた餅が二枚うどんの上にのっていて、ナルト、ほうれん草、天カス、という構成。

そういえば注文してからずいぶん時間がかかるな、と思っていたのだが、餅を焼く時間が必要だったのだ。

かねがね立ち食いそば屋には力うどんが無いのが不思議だったのだが、そうか、焼く時間がとれないのか。

改めて力うどんを見る。

主食の上に主食。主食と主食の同居。

きつねうどんの場合は油揚げがうどんのおかずだが、この食事にはおかずが無い。

この食事ははたしてうまくいくのだろうか。

きつねうどんの場合と力うどんの場合を比較して考えてみよう。

きつねうどんの場合は、まずうどんを一口、二口すすってから甘辛い味の油揚げを少しかじるという段取りになる。

主役はうどんだから、うどんのほうには真剣に取り組む。

かかりきりになって味わう。

茹で加減はどうか、コシはどうか、噛み心地はどうか……。

油揚げのほうにはそれほど真剣に取り組まない。

わりにいい加減な気持で味わう。

心は常にうどんのほうにあり、油揚げにかかりきりになって味わうということはない。

力うどんの場合はどうか。

まず、うどんを一口か二口すすって餅に取りかかる。

なにしろ餅であるから、いい加減な気持で取り組むわけにはいかない。

当然真剣に取り組む。

当然かかりきりになる。

おかずが無いではないか、ということになるのだが大丈夫、ツユです、ツユがおかず、おかずはツユだけで充分。

モッチリ対コシという、食感がまるで違うのでそれぞれに新しい気持で取り組めるところもまた、食べていて飽きない理由となる。

うどんと餅とどっちがエライのか。

うーん、やっぱり世間の評価は餅のほうに傾くでしょうね。

「力うどん」は本来の名前は「餅うどん」である。

だが「餅うどん」では餅の優位があからさますぎる。

そこで餅を力と言い替えて餅の存在感を弱めたのだと考えられる。

つまるところ餅のほうがエライ。

という結論になるのだが、よく考えてみると、力うどんの丼自体はうどんのものである。

つまり大家さんはうどんなのだ。

餅はエライかもしれないが、ここでは餅は所詮うどんの家に間借りする間借り人の立場、うどんの臀《しり》にしかれる立場、ということになって、最終的な結論はうどんのほうがエライということになる。

これを〝どんでん返し〟という。

◉卵焼きに本心を

〝気のおけない人〟というのは誰にでもいる。
すぐうちとけられる人。
気詰まりでない人。
よけいな気づかいをしないで済む人。
本心をうちあけられる人。
これらの人を総称して〝気のおけない人〟という。
では〝気のおけないおかず〟というのはあるのだろうか。
すぐうちとけられるおかず。
気詰まりでないおかず。
よけいな気づかいをしないで済むおかず。
本心をうちあけられるおかず。
テーブルの上に何品かおかずが並んでいるとします。
一般的な家庭の、ごく普通のおかずばかりです。

納豆、コロッケ、ハンバーグ、アジフライ、マグロの刺身、卵焼き、カマボコ……何でもいいんだけど、一応このへんにしておきます。

　納豆、コロッケ、卵焼きあたりは、気のおけないおかずと言っていいと思う。

　マグロということになると、多少の〝気詰まり〟はある、と言わざるをえない。

　マグロも大トロだと〝すぐうちとけられる〟というわけにはいかない。

　まして大間のマグロということになると〝よけいな

気づかいをしないで済む〟人はいない。

比較で考えてみましょう。

納豆と卵焼きでは、どちらが気づかいをしないで済むか、気詰まりでないか。

納豆で気詰まりになる、卵焼きで気詰まりになる人というのはいないだろうが、気づかいのほうはどうか。

納豆はわりに気楽に食べられるおかずではあるが、それでもいざ手を出すとなると、何も考えずにスッと手が出るということはない。

箸が出る前に少し迷うところがある。

納豆を食べたあとのこと、箸の粘りのこと、茶碗の汚れのこと、どのぐらいの量を取り分けようかということ。

卵焼きのほうは、迷うも何も、あと先も何も、なーんにも考えずに、気がついたら箸が出ている。

突っついて口に入れている。

うん、うん、なんて頷きながらいつのまにか味わっている。

卵焼きって、味わっていると何だか安心するんだよね、うん、うん優しい気持になるんだよね、ちょっと甘くて、ちょっと塩《しよ》っぱくて、表面はちょっとカリッとしていて中がちょっとグニュッとしていて、すべてが〝ちょっと〟で、そのちょっとのところに安心するんだよね、なんて。

卵焼きとカマボコではどうか。

カマボコもいささかの気づかいを必要とする。

卵焼きのように、なーんにも考えずにスッと箸が出るということはない。

箸ではさんで、横倒しにして醤油をつけるとき、醤油がビシャッとはねはしないか、どのぐらいの量の醤油を付着させたらよいのか。

これだったらぼくはメシなしのほうがいいな
寿司屋の卵焼き

〝本心をうちあけられる〟という点はまだ検討してこなかったが、卵焼きとカマボコではどっちが本心をうちあけられやすいか。

卵焼きに本心をうちあける場合と、カマボコに本心をうちあける場合とでは、うちあけたあとどっちが心が安まるか。

山崎方代《ほうだい》（一九一四〜一九八五）という異色の歌人の歌に、

卓袱台《ちゃぶだい》の上の土瓶に心中をうちあけてより楽になりけり

というのがあるが、卵焼きとカマボコでは、心中をうちあけたあとどっちがより楽になれるのか。


これは本文とは関係ないのだが、方代さんの歌をもう一つ紹介させてください。

大好きな歌なのでどうしても紹介したい。


こんなにも湯呑茶碗はあたたかくしどろもどろに吾はおるなり

ね、いいでしょう。

これで気が済んだので話を元に戻します。

本心をうちあける話に戻します。

気のおけないおかずの条件の一つとして〝本心をうちあけられる〟かどうかがあるわけで、コロッケなんかもわりに本心をうちあけられやすい雰囲気を持っている。

アジのフライ、ハンバーグあたりも本心をうちあけても受け入れてくれそうなところがある。

だが、大間のマグロには本心をうちあけられない。

あっちだってグチみたいなものをうちあけられても困るだろ

うし。

一口に卵焼きといってもいろんな卵焼きがある。

かつて、巨人、大鵬、卵焼き、という言い方があった。

子供が好きなものを並べたものだが、この卵焼きは家庭で作る卵焼きで、砂糖と塩で味をつけてフライパンで簡単にじゃっと焼いたものだ。

一方、四角い卵焼き器でパッタン、パッタンと折り返しながら巻きあげるものもあり、更にそれをスダレで巻いて形を整えるものもある。

寿司屋で出す卵焼きには卵だけで焼いたもの、魚や海老のすり身を混ぜこんだものの二種があって、同じ卵焼きではあるが少しずつ高級化していくことになる。

中華料理のかに玉も、かに入りの卵焼きで、このあたりの卵焼きになると、すぐにはうちとけられず、気詰まりもあり、気づかいもしなければならず、まして本心をうちあけるというわけにはいかない。

◉おにぎり解放運動

おにぎりの歴史は内包の歴史である。
シンボルの内在の歴史であり、具の秘匿の歴史である。
秘すれば花。
おにぎりは隠し事の思想に貫かれている。
梅干しで考えてみよう。
梅干しはその周辺を厚いゴハンで覆われている。
そして更に、光を通しにくい黒色の海苔でその上を覆う。
あくまでも具を包み隠そう、その思いは今日《こんにち》のわれわれにも充分伝わってくる。
いま梅干しは闇の世界に閉ざされた。
その梅干しのおにぎりを、いま一人の男が食べようとしている。
男はそのおにぎりの具が梅干しであることを知っている。
知ってはいるが、そのことを確認しようとはしない。
ただアングリと口を開けておにぎりを噛み取り、またアングリと口を開けて噛み取る。

天むすのエビ天を歯でタテ半分に噛み切ろうとして転落させた人の数ははかりしれない
グラッ

飯中から口中へ。

闇から闇へ。

梅干しはこの世の光を一度も浴びることなくその生涯を終える。

その梅干しの生き方を人々はよしとしてきた。

秘すれば花のシンボルとして、おにぎりの具の生き方を賛美してきた。（それほどでもないか）

こうしたおにぎりの伝統、歴史を人々は是認してきた。

だがここへきて〝人権派〟といわれる人たちが、おにぎり界の周辺に現れたのである。

おにぎりの具の一生はあれでいいのか、暗闇から暗闇の人生でいいのか、具の人権はどうなる、ということを主張する人々が出現したのである。

「目覚めよ具！」「具に光を！」をスローガンにして活躍する、おにぎりオンブズマンの人々である。

彼らはリンカーンが奴隷を解放したように、おにぎりの解放を目ざして長い間活動してきた。

このことはあまり世間に知られていないが、この運動から生まれたのが天むすなのである。

おにぎり解放運動は、当然おにぎり保守派のハゲシイ抵抗にあった。

だからまだ、おにぎりの具の、内部からの脱出は成功していない。

半分しか成功していない。

天むすが、具の一部脱出という形になっているのはそのせいなのだ。

天むすのエビ天が、半分をおにぎりの中に、あとの半分を外に露出させているのは〝脱出の途次〟と考えられている。

本当は全域脱出を試みたのであるが、保守派のハゲシイ抵抗にあって躊躇した姿が、あの中途半端な形になっているともいわれている。エビ天はこのあとどういう形になったらいいか、苦悩しているのだ。

いまだに苦悩しているのだ。

秘すれば花の保守派としては、ああした露呈、あるいは半露出は、見るに堪えない姿と映る。

「あれはおむすびではない」

とする古老もいる。

「むしろ握り寿司に近いのではないか。エビ天をのっけた一種の軍艦巻きではないか」

と言うのだ。

そう言われればそんな気もする。

天むすといえども
内包の道はあった
なのに
なぜ
あえて露呈を
選んだのか
プンプン
おにぎり
当局

こうなってくると、おにぎりの定義が必要になってくる。

日本語を統轄する広辞苑にそのあたりのことを問い合わせてみよう。

〔おにぎり【御握り】　にぎりめし、おむすび。〕

としか出ていない。

仕方がないので、にぎりめしを引く。

〔にぎりめし【握り飯】　握り固めた飯。〕

どうもなんだか逃げまわっている感じがする。ちゃんと答えたくないらしいのだ。第一、具については一切触れていない。

具を内包させようが、露出させようが、当方は一切関知しないという態度である。

当駐車場内における事故については一切責任を負いません、という態度と同じだ。

こうなってくると、われわれも判断に迷う。

われわれ一般大衆は、天むすというものにどう対応したらいいのか。どういうものである、と認識すればいいのか。

とりあえず一個食べてみよう。

手にとってみると、一口では無理な大きさで、ちょうど二口の大きさ。

一口めで上のほうをパクリとやると、二口めは具なしになってしまう。そこでタテ半分に嚙み切る。

エビ天をタテに嚙み切るのはかなりむずかしく、不安定にのっかっているエビ天が転げ落ちそうになる。

つまり、食べ方がかなりむずかしい。

エビ天そのものは塩味で、ややスパイスが利いている。

エビ天の塩味の利いた油が、ゴハンにしみてるあたりは天丼にも少し似ていてなかなかおいしい。

ぼくなんかは天むすをおにぎりの仲間に入れてやることに何の抵抗もない。

内包であれ露出であれ、おいしくさえあれば名称は何でもいい。

おにぎりの古老が天むすを仲間に入れたくない理由は他にあるのではないか。

他のおにぎりの具に比べて天むすのエビ天は異常に大きい。

天むすのエビ天は、全重量の20パーセントを超えるという。つまり主役の飯より具がやたらに目立つ。

おにぎり当局は、うっかりエビ天に庇《ひさし》を貸したら母屋《おもや》を取られてしまったのが口惜しくてならないのだ。

◉煎餅バリバリ食べ放題

全国平均で考えて、煎餅は一回に何枚ぐらい食べるものなのだろうか。

一回に、というのは、たとえば今だったらコタツにヨッコラショとか言いながら入って、ふと、かたわらにある煎餅のブリキの缶に気づき、「煎餅食ってみっか」という気になってブリキ缶のフタを開ける、というような場合。

煎餅は丸くて大型で、味は醬油味ということにしましょう。

とりあえず一枚、バリバリ食べる。

途中でコタツの上にあった急須にポットのお湯をついで飲む。

前歯で嚙んでペキッとへし折ったり、手で割って口に放りこんだりしながら食べる。

お醬油の香ばしい味が、舌の上にじかに幅広く当たり、菓子としてはかなり塩っぱく、この塩っぱさなくしては煎餅たりえない。

そうやってごく自然に二枚目に手がのびる。

お茶を飲む。

もう一枚いってみっか、やめとくか、と少し迷い、結局三枚目に手がのびる。

ここまででしょう、一般的には。

いいえ、わたしの場合は一回に十枚はいきます。お煎餅でお腹が一杯になるまで食べることもあります、という人は少ないのではないか。

全国平均で三枚、これがニッポンの常識。

ところがですね、そうも言ってられない場合があるのです。

三枚でやめるわけにはいかない。

三十枚はいきたい、そういう場合が厳然とある。

煎餅を三十枚も食ってどうする、と言いたいでしょうが、たくさん食べないと損をしてしまうので、仕方なくどんどん煎餅に手を出さざるをえないのです。

「煎餅食べ放題の店」というのが巣鴨にある。

食べ放題には、寿司とかカニとかしゃぶしゃぶとかいろいろあるが、こともあろうに煎餅食べ放題。

よりによって煎餅食べ放題。

勘弁してくれ煎餅食べ放題。

そんなに嫌ならやらなきゃいいだろ、ということになるわけだがそうはいかない。

わたくしはこれまで、各食べ放題をことごとく制覇してきた〝食べ放題のチャンプ〟を自任している人間なのである。

略してホーチャン。

事実、これまで制覇してきた食べ放題は、寿司、カニ、飲茶《ヤムチャ》、しゃぶしゃぶ、ラーメン、カレー、焼き肉、松茸などなど、その顚末はことごとくこの連載で報告してきた。

煎餅食べ放題の店があると聞いた以上、ホーチャンとしてはこれを放置しておくわけにいかない。

ホーチャンは行くことにした。

煎餅を一人で食べ放題というのはきまりが悪いので一緒に行ってくれる人を誘ったのだが、誰一人「よし、行こう」と言ってくれる人がいない。

ホーチャンは一人で行きました。

雷神堂という煎餅屋さん。

雷神堂はびっくりするほど大きな民芸調の店で、広い店内は煎餅だらけ。見上げれば煎餅、うつむけば煎餅、見渡すかぎり煎餅。

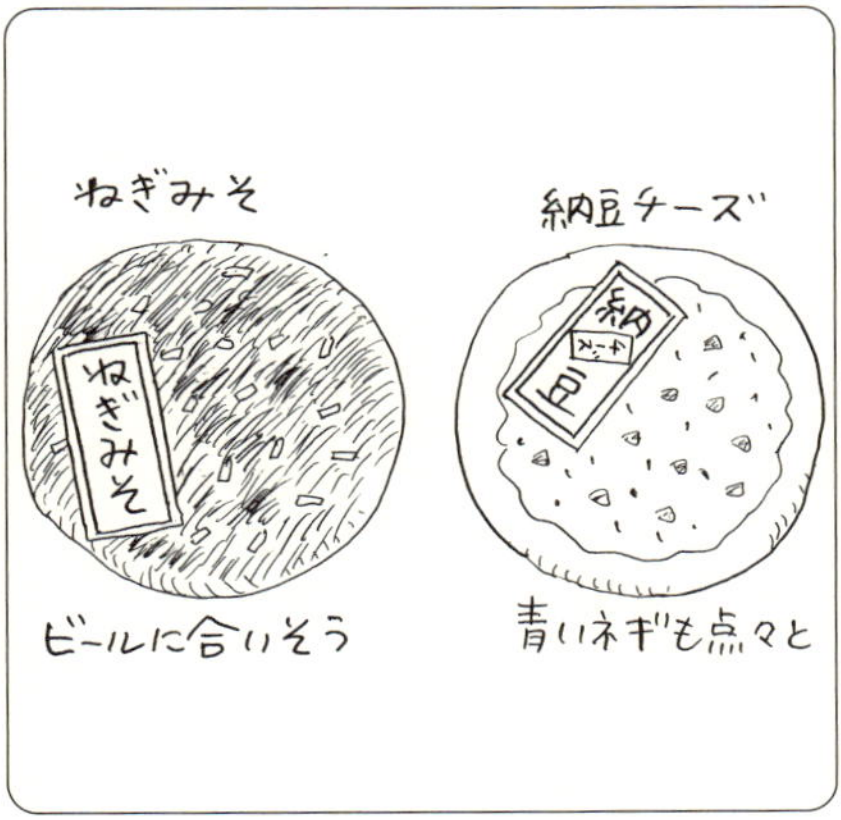
納豆チーズ
納豆
青いネギも点々と
ねぎみそ
ねぎみそ
ビールに合いそう

直径が30センチという大きな煎餅、巨大な柿の種、醤油系で「三度づけ」「五度づけ」という、うんと塩っぱいの、大辛、激辛、にんにく風味、甘味噌風味、ねぎ味噌風味、柚子ぬれ煎餅、ちょいぬれ煎餅、納豆チーズ風味などという煎餅もあって、一つ一つ見て歩くだけでも楽しい。

食べ放題は630円。制限時間三十分。

一袋完食が決まりなので、多数入った大袋は除外して「一袋に一枚もの」のみが食べ放題の対象となる。

一袋ものだけで六十二種。

その中からとりあえず八種を選んで店員のおばさんに放題を申し出る。

「いま四時二十分だから、四時五十分までね」

と、意外に厳格なのである。

店内に囲炉裏があり、そこが放題の席となっていてお茶のポットと湯のみ茶碗が置いてある。

お茶を一口すすってスタート。

ビリビリ（袋を破る音）、バリバリ（煎餅を噛む音）、ズルズル（お茶を飲む音）、以後この男から発せられる音はこの三種のみ。

店内には常に三、四人の客がいるが、食べ放題の客はこの男のみ。

煎餅屋の囲炉裏におじさんが一人ですわって煎餅をバリバリ食べている、めったやたらにバリバリ食べている、休むことなくバリバリ食べている、これははたから見て、どう見ても尋常な姿ではない。

日本人が煎餅を食べるひとときは、のんびりしたひとときでもあるのだが、このおじさんはなんだかもう大忙しでバリバリ食べている。

膝のところに煎餅の食べかすがパラパラ落ちてきてどんどんたまるので、しょっちゅうそれをパッパッと払わなければならない。

バリバリ、パラパラ、パッパッ、バリバリ、パラパラ、パッパッ、無言のおじさんは忙しい。

二枚、三枚、五枚、八枚と食べていくのだが意外に飽きない。まだまだ食べられる。

ふつうの塩っぱさの煎餅をあれこれ食べながら、さっきの五度づけのうんと塩っぱいのを合間にかじる。

そうするとそれが〝おかず〟になって食がすすむ。

結局十四枚食べてさすがに顎が痛くなってきたので続行を断念。

残り時間を十分余して終了したのだが、ということは、二十分間、ひたすらバリバリバリバリ噛み続けていたというわけです。

◉納豆新時代

今回の捏造番組問題では、納豆一族には大変気の毒なことをした。

性格温厚な一族のことだから、たぶん笑って許してくれることと思うが、われわれとしては何か罪ほろぼしをしたい。

いったい何ができるだろうか。

一族というものは、常に一族の繁栄を願うものだ。

納豆一族の繁栄とは何か。

それは言うまでもなく販路拡張にほかならない。

つまり、われわれが今まで以上に納豆をたくさん食べることに帰する。

今まで以上にたくさん食べるにはどういう方法があるのだろうか。

と、思い悩んでいるうちに、ふと、一つの事実に思いあたった。

〝納豆は醤油で食べる〟という事実である。

言い換えれば、〝納豆は醤油以外では食べない〟。

もちろん例外はあるが、日本人の九割九分は納豆を醤油で食べる。

「納豆パン」は
どうか？
いま納豆パンに
かぶりついたところ
なのですがこのあと
パンを口から引き離すと
どういうことになるのでしょう

改めてここで伺いますが、あなたは納豆を醤油以外のもので食べようと思ったことがありますか。

納豆の入った小鉢を手にして、エート、きょうは何で食べようか、と迷ったことがありますか。

たまには迷うことがあって当然なのに、これまでの人生の中でただの一度も迷ったことがない不思議。

バラの木にバラの花咲く、何事の不思議なけれど。

納豆には醤油をかける、何事の不思議なけれど。

日本人は納豆に関しては

何らかの呪縛を受けているのだ。

これを〝ナットー神の呪い〟という人もいる。

目覚めよ日本人、呪縛から解き放たれよ日本人。

納豆を醤油以外で食べる〝納豆新時代〟を全国民こぞって築こうではないか。

そうすることが、今回のことに対する納豆一族へのお詫びとなるのだ。

というわけで、まず一番最初に頭に浮かんだのが砂糖です。

これまで「日本海側のある地方では納豆を砂糖で食べる」という話を何回も聞かされてきた。

聞かされてはきたが、これまでただの一度だってそれを試そうと思ったことはなかった。

納豆を小鉢に入れ、箸でニチャニチャと掻き回して砂糖を投入。

何だか気分が引きしまる。

わが納豆史の歴史的瞬間に立ち会うことになるのだ。

砂糖がザラザラする、と聞いていたので粉末に近い砂糖にする。

水分がないので粘りがすごい。白い泡がすごい、膜がすごい、箸がしなる。

では口に入れてみます。

うん、これはまさに粘る煮豆、甘く煮た煮豆がありますね、あれが粘る、あれが糸を引く、ので、最初のうちは違和感がある、が、むしろおいしい、のだが、これで食がすすむ、というたぐいのものではない、が、思ったほど嫌な気はしない、が……、このくらいで勘弁してください。

次に考えたのが、こともあろうにキムチの汁。キムチの素ではなく、キムチからしたたる汁。

これを納豆に混ぜる。

結論を先に言います。

ドヒャーと言いたくなるほど旨い。

多分旨いだろうなあ、とは思っていたのだが想像以上に旨い。

合わなかったもの
ケチャップ
ウスターソース
梅
ドレッシング
まじー

彦摩呂さん風に言うと「納豆の夜明けや－」。

納豆がキムチの強烈な個性に負けまいとして頑張るので、両者実力以上の力を出しきって額に汗の名勝負。

ぜひ試してみてください。

次が塩。

実をいうと、ぼくがかつて疎開児童として過ごした栃木県の北東部では、どの家でも納豆は塩で食べていた。

もちろん醤油のほうが風味が豊かな納豆になるが、塩だと豆そのものの味がキリリと立ち上がる。

納豆の豆としての元々の味はこれだ、ということを実感させられる。

納豆にオリーブオイルはどうか。

納豆に粘りを出させておいてそこにタラタラとオリーブオイルを注ぐ。

納豆のぬめりがその生誕以来、初めて油に出会った瞬間である。

今まで歩んできたぬめりの道と違ったぬめる道を、これから先ぬめっていくことになるのだ。

ここに塩を少々。ふと思いついてバジルの葉を刻んで少々。

これまでの〝醤油と納豆〟のイメージと違った、納豆臭さの全くないサラダ風さわやか納豆。

彦摩呂さん風に言うと「納豆の地中海デビューやー」。

カレー味はどうか。

納豆とオリーブオイルの出会い
粘りがトロリになりますのよ

ふつうの醤油納豆にカレー粉をふりかける。

これも捏造なしの、いけるいける大発見。

カレー粉はほんの少しがコツ。

なんだかもう言うに言われぬ味の納豆となって、エ？　ナニコレ？　と一口ゴハンを食べ、ナニコレ？　エ？　と二口食べ、いつのまにか一膳食べ終えているという味。

またまた彦摩呂さんに登場願うと、「インド人もびっくりやー」。

最後にナンプラー。

これはまあ醤油の一種だから当然違和感はないが、ここに刻んだパクチー（香草）を入れる。
とたんに納豆は故郷を忘れる。
ふるさと日本を離れ、ふるさと東北を離れて異境の地タイの郷土食に変身する。
パクチーの好きな人にはたまらない一品であることを保証します。
日タイ両国の絆《きずな》も強くなるわけで、これはほんとに「めでタイやー」。

◉ほとほとおいしいほうとう

「うまいもんだよ南瓜《カボチャ》のほうとう」

というフレーズ、誰もが一度は聞いたことがあると思う。

山梨県の三大名物は、武田信玄、山梨ワイン、ほうとうであるが、その中の一つ、ほうとうのキャッチコピーとして知られている。

キャッチコピーというものは、大体大げさに、いくぶん押しつけがましい感じがするものだが、このキャッチコピー、なんだかおずおずしていて遠慮気味なところを感じませんか。

「食べてみると案外おいしいですよ」

というニュアンスを感じる。

〝案外〟というのは〔予測とくいちがうさま〕だから、

「あなたはうまそうに思わなかったでしょうが」

ということを言外に匂わせている。

人々はほうとうをどんなものだと思っているのだろうか。

「なんだか汁が濁っていてその上ドロッとしてるんだよね。麺も茹でずに入れるからぬめってい

て、煮込んであるからコシがまるでなくてニチャッとしてる。具は野菜だけでしょ。里芋とか人参とかゴボウとか白菜とか。あ、そうそう南瓜。これがまた汁の中に煮溶けて汁が濁るんだよね」

と聞いて、

「ほう、うまそうじゃないの。そういうものならぜひ食べてみたいね」

と、ひと膝のり出してきた人はふつうじゃないです。

そういうもんならやめとく、というのがふつうです。

山梨県の三大名物には一

つの特徴がある。

武田信玄も山梨ワインもほうとうも、その名前は誰もがようく知っている、だけどその実態はよく知らない、という特徴。

武田信玄は有名だが何をした人なのか、秀吉ほどには知られていない。

山梨ワインは知られているが熟知している人は少ない。

ほうとうも実際に食べたことのある人ってほとんどいないのではないか。

いかにもおいしそうなものならば、「そのうち食べてみよう」と思うものだが、なにしろドロッとしていてぬめっとして濁っているものを食べてみようと思う人はまずいない。

「そのうち」なんて言ってる人は、たぶん一生食べる機会はないと思うな。

であるからこそして風林火山、決断すること火のごとし、迷わざること山のごとし、思い立ったが吉日と、疾《はや》きこと風のごとく甲州料理の店に向かったのだった。

最近は、讃岐うどんのブームのせいもあって、うどんにうるさい人が急に増えた。

彼らがいちばん問題にするのはうどんのコシである。そしてキレ。

ツルツル感も大いに議論の的になる。

押し返し、なんてことを言う人もいる。

エッジなんてことを持ち出す人もいる。

コシもキレもツルもエッジもなく、押し返すこともないほうとうは、これから先どうやって生き抜いていったらいいのか。

四ツ谷にある甲斐の郷土料理を名のる店に行った。

ほうとう鍋、１３００円。

この店の具は、白菜、人参、ほうれん草、しめじ、絹さや、油揚げ、そして南瓜。

具に決まりはなくて、そのへんにあるもの何でもいいそうだ。

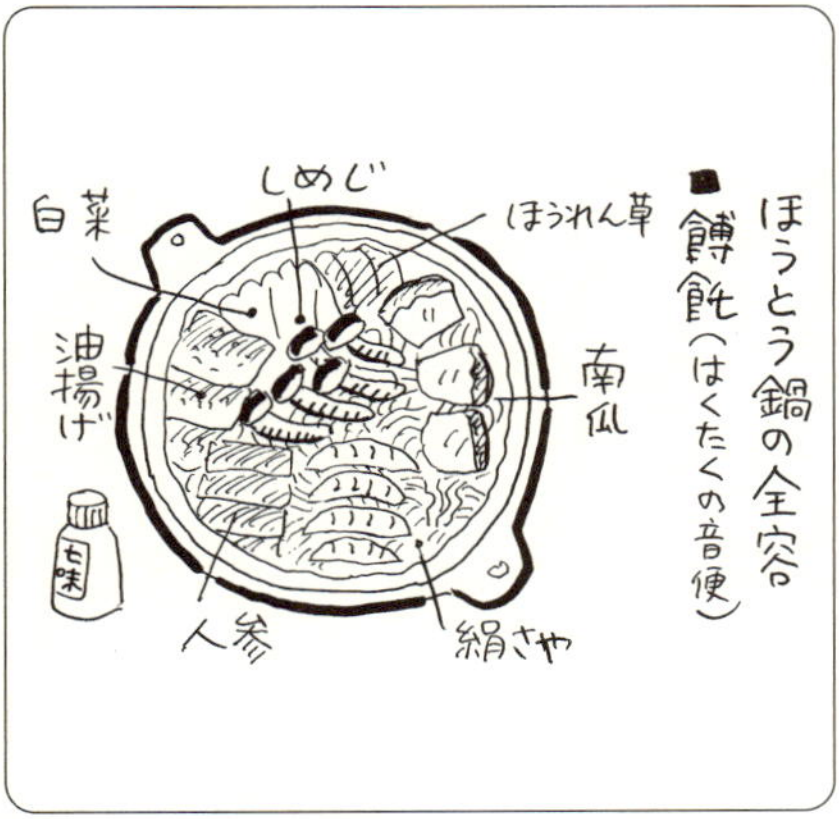
ほうとう鍋の全容
■餺飥（はくたくの音便）
しめじ
白菜
ほうれん草
油揚げ
南瓜
七味
人参
絹さや

肉っ気いっさいなし。

麺は1センチ幅の帯状でやたらにねじれている。味つけは味噌。

麺も味噌も山梨産を使っているという。熱くて湯気もーもー。

〝現代〟がどこにも感じられない本当にもう大昔からの農家の郷土食。

やっぱりなー、予想したとおり、こんなもんだろなー、と、うなだれてとりあえず麺をズルズル。

やっぱりなー、ニッチャリだよなー、と、一口、二口、三口と噛みしめていくと、そのニッチャリに少しずつ小麦粉の味がしてくる。

小麦粉を練った味がしてくる。その小麦粉を練ったものに味噌がしみ込んだ味がしてくる。野菜の出しの味がしてくる。

素朴、原点、本来、あるがまま。


そうしてこれが実に不思議なことなのだが、安心感が少しずつわき上がってくるのである。まか不思議な安心感、この安心感はいったい何だ、という安心感。

コシもキレもツルもない麺に、少しずつ噛み応えが生まれてくる。

ねっちりねっちり、ゆっくり噛ませてくれる。噛むのをゆっくり待ってくれる。

ドロドロと濁った汁は、ドロドロがゆえにおいしい。ドロドロと安心する。

安心のおいしさというものがあるのだと、つくづく思いました。


「あらゆる料理は洗練を目指す」

とは、ラ・ロシュフーコーの言葉ではなく、わたくしの言葉で恐縮なのですが、洗練を目指さない料理がここにある。

洗練の極みの料理は、作り上げた〝人工〟に対する不安、すぐにも壊れそうな不安を呼ぶ。

ほうとうのような素朴食にはそういう不安がない。

そのことが安心を呼ぶのだろうか。

南瓜がまたいい位置にいるんですね。本来なら主役なのだがそういうふうには振る舞っていない。

一座の世話役？　後見人？　相談役？　そういう役どころが似合う人柄なんですね、南瓜は。

「いいことずくめだよ南瓜のほうとう」

◉お洒落なバーで味噌汁を

考えてみると味噌汁は不憫なやつだ。

こんなにも晴れの舞台に似合わないやつはいない。

家の中でこそ、おいしいおいしいともてはやされるのに、ちゃんとした場所には決して登場しない。

ちゃんとした場所からはお呼びがかからないのだ。

ちゃんとした場所とはどういうところか。

もちろん宮中晩餐会には大根の千六本と油揚げの味噌汁は出ない。

ちゃんとした場所といったってそれほどちゃんとした場所ではなく、デニーズとかすかいらーくとか、その程度の場所でも遠慮がちに出される。

ちょっとしたレストラン、ちょっと高級な洋食屋などでは出入りを禁止されている。

わりに幅をきかせているのは定食屋、民宿、牛丼屋などだ。

つまり身分が極めて低い。

じゃあ、そんなにダメなやつなのかというととんでもない。

こだなや
味噌汁サービスすっけど飲んでぐか
というなら話はわかるが……

実力的には相当なものがある。

古来よりゴハンと味噌汁は日本民族の食事の根幹である。

歴史と伝統に輝く日本の食事の基幹であることは誰もが知っている。

定食屋に行けば誰もがその事実を改めて実感させられる。

定食屋の定食は、まずゴハンと味噌汁を基幹として成り立っている。

その基幹と根幹の上に、アジフライとか納豆とかホウレン草おひたしなどが付随される構造になっている。

基幹は〔一番のおおもと。中心となるもの〕であり、根幹は〔その物事を成り立たせる上で最も大切な働きをする部分〕であるから、辞書界も味噌汁のエラサを、〔一番〕〔中心〕〔最も大切〕という最上級の言葉をつらねて認めていることになる。

味噌汁は身分が低いどころか最上級に位置しているのだ。

それほどの高位のお方なのに宮中晩餐会に呼ばれないのはなぜなのか。

なんでなんだろなあ。

よくは知らないが、おすましなんかは呼ばれてるんじゃないかな。

手鞠麩とウドの銀杏《いちょう》切りなんておすまし、たぶん呼ばれてんじゃないかな。（知りませんよ、くわしいことは）

でいながら、なぜ味噌汁は呼ばれないのか。

一度宮内庁に問い合わせてみる必要がある。

いつのまにか宮内庁が味噌汁をいじめる当事者ということになって気の毒な気もするが……。

ここで話は急にバーの話になる。

バーとはどういうところか。

いろんな人に訊いてみるとおおむね次のようになる。

バーとは気取るところである。

「シングルモルトのラフロイグの17年ものをストレートで」とか言うところである。

「チューハイに梅干し入れて」とか言ってはいけないところである。

「マティーニをジンではなくウォッカで」と言って「マティーニは本当はジンで飲むんだけど、ボクはこっちのほうが好きでね」などと自分で解説しちゃうところである。

なんて、いちいち説明しなくても、バーがどういうところかみんな知ってますよね。

「飲んだあと汁気が欲しくなってラーメン」というのはよくありますが"メタボ"的には味噌汁のほうがいいと思いますよ

つまり粋《いき》の世界。

そうして味噌汁は野暮の世界。

永遠に折り合わない世界。

もし万が一、出会うようなことがあったらどうなるか。

なんだかワクワクしますね、どうなるんでしょうね。

ではサイナラ、サイナラ、サイナラ、と淀川さんが行ってしまったのでぼくがこの話のシマツをつけなければならない。

どうシマツをつけるのか。

第一シマツをつけられるのか。

これがもう実に簡単な話で、期待してワクワクした人には気の毒なのだが、あるんです、味噌汁を出すバーが。

場所もお洒落の一等地南麻布の「味噌汁バー」と銘打った「I」。

いかにも味噌汁が似合いそうなバー、ではなく、いかにも味噌汁が似合わなそうな、本格的かつお洒落なバー。

「え？　こ、ここで味噌汁なんかズルズル飲んだりしていいの」という雰囲気のバー。

カウンターがあって正面に大小様々な洋酒のビンが並んでいて、壁面白一色、一切無装飾。

その主旨は、「東京には各地から人が集まっているので各地の郷土色のあるものを提供したい」「南麻布という国際的な土地柄で、日本の地方料理の魅力を外国の方々に伝える発信基地になり得たら」「一日の終わりを一杯の味噌汁で一息ついてもらいたい」というところらしい。

味噌汁の種類は全部で十三種類。「島根のしじみ汁」「秋田のハタハタ汁」「千葉の鰯つみれ汁」「山口ふぐ一夜干し汁」「沖縄ゴーヤ汁」など地方色を盛りこんだものが多い。

値段は一杯600円から1000円。

おそるおそるドアを開けて中に入ってカウンターを前にしてすわり、いきなり、

「味噌汁」

と言うわけにもいかず、いちおう、

「マッカランの12年ものをストレートで」

なんて気取って二、三杯飲んでから「島根のしじみ汁」を飲んだのだが、これがびっくりするほどおいしい本格的な味噌汁で、しじみも大きく、お酒のあとにぴったりでした。

そのとき思ったことは〝ウィスキーと味噌汁を交互に飲む〟というのだけはやっちゃいけないな。

◉ザーサイ応援団

世の中には埋もれた逸材というものがよくある。

なにしろ埋もれているので、すぐ身近にあるそのものを世間の人は逸材だと気づかない。

逸材には、本人が自分が逸材であることに気づいていて切歯扼腕している場合と、本人が気づかないでノホホンとしている場合とがある。

ザーサイの場合はどうなのか。

ザーサイは切歯扼腕しているのか。

ノホホンとしているのか。

ここまでの文脈は、ザーサイが逸材であることを前提にしている。

ここで世情は騒然となる。

「ザーサイが逸材であるなんて、一体誰が決めたんだ」

「オレは聞いてないぞ」

「ワシャ認めんぞ」

「あのザーサイの、どこが逸材だというんだ」

そういう世間の声を一切無視して話をすすめます。「私、プロレスの味方です」という本がかつてベストセラーになったが、ぼくは「私、ザーサイの味方です」という本を書きたいくらい、ザーサイの味方です。

まず第一に好きな点はあの塩っぱさ。

塩っぱさに関しては、おそらくおかず界では天下無敵、鎧袖一触《がいしゅういっしょく》。

ただ塩っぱいだけではない。

酸っぱいような、植物が根本のあたりで少し腐敗したようなえもいわれぬ発酵臭。

そしてあのパキパキというかコキコキというか、類例のない歯ざわり……というか歯切れのよさ。

あのパキパキはタクアンのパキパキとも違い、明快、即決、右と左に切れて別れていさぎよい。

ザーサイの本領はどういうときに発揮されるのか。

ラーメン屋で「ビールと餃子とラーメン」という最強、黄金の組み合わせを実行しようとした場合で考えてみましょう。

注文するとすぐビールがくる。

餃子は焼きあがるまでにかなり時間がかかる。

ビンビールだと焼きあがるまでに、まあコップ三杯は飲むことになる。

むなしく三杯飲むことになる。

一杯目もむなしいし、二杯目をトクトクとコップについでいるときもむなしいし、それをコクコクと飲み干しているときもむなしい。

三杯目ももちろんむなしい。

そんなときです。

もしですよ、ビンビールといっしょにですよ、小皿にですよ、ザーサイが五切れほどですよ、出てきたとしたらどうします。

満面の笑みを浮かべてトクトクとコップにビールをつぎ、満面の笑みを浮かべてザーサイの一片をつまみあげてコリコリと口の中を塩っぽくさせ、満面の笑み途切れることなくコクコクコクコクと冷たいビールをノドに流しこむ。

こういう場面でのザーサイに勝るおつまみがこの世にありましょうか。

枝豆敗退、肉じゃがスゴスゴ、切り干し大根の煮たの敗走、天下無敵とはこのことを言うのであります。

炒飯についてくる
スープと
ザーサイは
涙が出るほど
嬉しいもの
です

〝ビールといっしょにザーサイの小皿〟のこの店のおやじは、ここからは厨房に隠れてそのお姿は見えないが立派な人物にちがいない。

人格的にも優れ、性格温厚、人徳、徳性共に秀で、温顔にして慈顔、人品骨柄よく、髪の毛フサフサ、そういう人柄が偲ばれてならない。

「もう一生この店に通おう」

そういう思いさえしてくるほどだ。

〝ビールといっしょにザーサイの小皿〟ただそれだけのことで、客にこれほどの感激と感謝を与えることができるのだ。

店側にしたって大した手間もひまも要らない。用意してあるザーサイを、ちょいちょいと箸でつまんで小皿に盛るだけだ。

逆に考えると、そんな簡単なサービスさえ怠る店主は言語道断である。

怨みさえ買うことになりかねない。

ビンビールをドンと置いたっきりの店主に対しては、

「ま、ロクな奴じゃないな」

と思い、人格的にもダメな奴で、品性下劣、因業にしてあこぎ、業突くにして強欲、目は三角にして凶眼、人品骨柄卑しく、頭ツルツル、そういう人物を思い浮かべてしまう。

ビールといっしょにザーサイの小皿さえ出てくれば、店主の人柄は保証される、というわけではない。

ここのところがこの問題の厄介なところなのだ。

大抵の人は〝ビールといっしょにザーサイの小皿〟の段階で何の疑いもなく大喜びになる。

ところがここに大きな落とし穴があるのだ。

ビールといっしょにザーサイの小皿が置かれる。

やれやれ、これでノープロブレム、と、満面の笑みでコップ

にビールをつぎ、満面の笑みでザーサイを一切れ口に入れ、満面の笑みで噛みしめると、ん？　なんだこれは、全然塩っぱくないではないか、塩分を抜き過ぎている上にヘンな甘みさえついている……うえに、ザーサイがフニャフニャ。

最近どういうわけかこういう塩っぱくないうえにヘンな味をつけたザーサイが多い。

これではせっかくのザーサイなのにビールの前の最強の一品にならない。

枝豆、肉じゃが、切り干し大根の煮たの勢に敗退することになる。

こういう店のおやじの評価は次のようになる。

性格優柔不断、動作緩慢、風貌下ぶくれで目どんより、人品骨柄普通、頭やや薄め。

◉小籠包の「ハ行」騒ぎ

小籠包《しょうろんぽう》って食べたことありますか。

ないと困っちゃうな。

あとでとても困ることが起きるんだけどな。

とりあえず、ある、ということで話をすすめさせてもらいます。

ここで一応、小籠包について説明しておくと、エート、形は、小さい肉マン。

その肉マンの中が空洞で、空洞のところにうんと熱いスープがタプタプと詰まっていて、小さな肉餡が底のほうにちょびっとある。

大きさはシュウマイぐらいだから、大抵の人はこれをポイッと口の中に放りこむ。

ここから先に起こることは、小籠包を食べたことがある人も、まだの人もいっしょになって考えてください。

口の中にポイと放りこんでグシャと嚙みつぶしたとします。

どうなります？

小籠包とはどういうものかを全く知らなくて、たとえば外国人なんかがですね、何も考えずに

グシャと嚙みつぶす。
グシャの瞬間、思いもかけぬ熱湯が口の中にドピューとなって、ピェーッとなって、モヘハーッとなって、アフハフとなって、ヒホヒホとなって、ホヘハーッとなり、なぜかアカサタナのハ行を前後の関連なく叫びつつ、白目を剝いて胸搔きむしって悶絶することになる。
最近は製造者責任ということがうるさくなって、ぼくが先日買った懐中電灯には、「危」という字を大書した「警告書」というものが入っていて、「スイッチを入れた瞬間、前方が突然明るくなり、驚きのあまり心臓麻痺を起こす恐れがあります」と書いてあった。（ような気がする）

小籠包だって、これからは一皿ごとに、「本製品は口中の加圧時に於いて、相当な熱度をもった液状のものが、噴出もしくは漏出という形をとって流れ出て、口中の粘膜を損傷させ、八行の羅列を絶叫せしむる恐れがあります」という警告書をつけなければならなくなるのだ。

中国人はなぜこのような物騒な食べ物を作ろうと思ったのか不思議でならない。

だってワンタンを考えてください。

ワンタンは小籠包と同じような皮に肉餡を詰めたものだ。

これをレンゲにのせ、スープも入れ、スープといっしょに食べれば、小籠包の口内加圧時以降と全く同じ状態が口の中に現出される。

液体を皮で包む、なんてことを苦心惨憺して考え出す必要なんてなかったのだ。

あなたはいま「液体を皮で包む」のところを何の考えもなく読みすごしましたね。

うんと驚いてもらわないと困るなあ。だって、じゃあいまここで、液体を皮で包めって、たとえばグリム童話の王様に命令されたとしますね。

どうします？

中国の人は苦心惨憺、艱難辛苦の末、それを完成させたのです。

ワンタンをスープといっしょに食べれば済むことを、いや、それではつまらん、ワンタンの中にスープを封じこめないとワシは気が済まん、と、あえて困難に挑戦したわけだから、たぶん、もともと困難に挑戦するのが好きな人だったんだと思うな。

おそらくこういう人は、小籠包を完成させたあとも、「米粒に毛筆でお経を書く」とか「ドーバー海峡を泳いで渡る」とかにも挑戦したと思うな。

どんなことでも誰かがやってしまえばコロンブスの卵。

液体（スープ）をどうやって皮で包むか。

スープがある程度固まれば包める。

ある程度固まったスープ、すなわち煮こごり。

煮こごりならば簡単に皮で包める。

ここに至るまでの苦心惨憺は想像に難くない。

難くはないが、その結果が〝レンゲでワンタンとスープ同時食い〟と同じならば、あまりにも彼が気の毒だ。

大きな相違点が一つある。

〝レンゲでワンタンとスープ同時食い〟の場合は、誰でも口に入れる前にフーフー吹いてある程度冷ます。なにしろ全容が見えているから、対応も万全を期せる。

小籠包は全容は見えているがその内部の凶暴性は見え

ない。

特に初めての人にはまるで見えない。

何も知らずに一個食べ、大騒ぎを演じ、演じ終わったあと、初めての人は必ず二個目を睨みつける。

彼の頭の中には様々な思いが錯綜しているのであろう、しばらくじーっと睨みつけている。

考えがまとまったところでようやく二個目にとりかかる。

今度は〝小籠包の内部の凶暴性を熟知している人〟となっているわけだから、対策も充分。

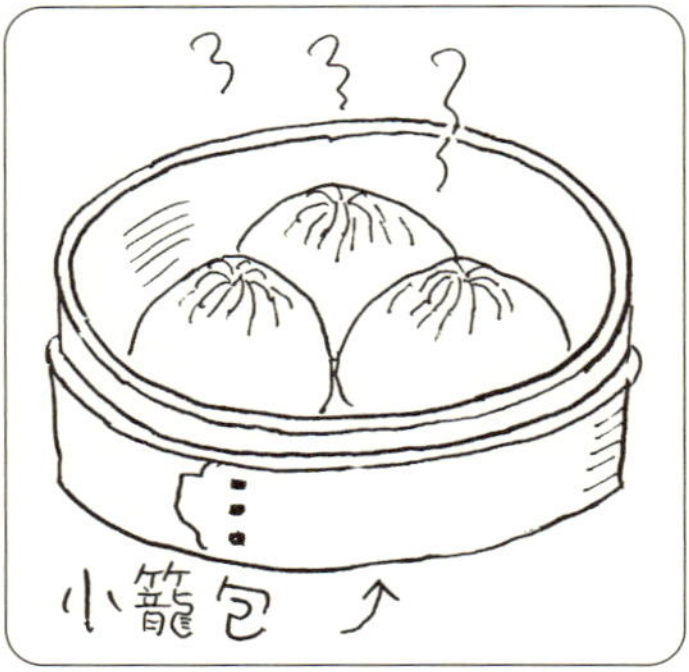

レンゲの上にのせた小籠包をフーフーとハゲシク吹き、もう一回ハゲシク吹き、口の中に入れてもすぐに歯を当てることをせず、舌の上にのせて大きく一呼吸し、それから歯と歯の間にはさみ、ゆっくりゆっくりと嚙みしめていくと……、皮が破れて出てきた、出てきた、熱くておいしいスープがジワジワと出てきた、そのまま更に嚙みしめていくと、出てきた、出てきた、肉餡の中からもおいしい肉汁が出てきた、その肉汁が、熱くておいしいスープに加わってダブルスープとなり、ペラペラした皮がそこに参加して、あー、やはりワンタンの同時食いとは違うな、違うおいしさだな、ということになって、ぼくとしても

よかった、よかった。

◉冷凍みかんの思い出は……

冷凍みかん……。

こう書いただけで、

「ああ、あれね」とか、

「うん、昔、あったあった」

と、うなずく人はいま何歳ぐらいの人たちだろうか。

「列車に乗ったとき、前の座席の背もたれのところにぶら下げておくのよね」とか、

「オレンジ色をした網の袋にタテに入ってるのよね」とか、

「もういいかな、なんて網から取り出すとまだなのよね」

などと冷凍みかんの思い出を語ることのできる〝のよねの人々〟は、いま四十代から六十代あたりまでの人ではないだろうか。

冷凍みかんは、まさにこの世代の人たちの旅行のシンボルだったのだ。

冷凍みかんを思い出すと、いまの旅行のスタイルと全く違った、当時の旅行の実態がありありと甦ってくる。

硬球みたいに硬いので
ぶつけられたらどのぐらい
痛いかと思って
ためしたら
ヒーヒー
あまりの
痛さに
泣いてる人

いまは寝台特急とか座席指定とかがあるが、当時の若者はすべて自由席で入れ込みだった。

もちろんグリーン車に相当するものもあったが、一般大衆には無縁のものだった。

四時間、五時間という長距離列車が入れ込みになるとどういうことになるか。

人々は床に新聞紙を敷き、そこにじっと座って、座りながら眠ることになる。

ぼくらの若いころは、そうやってスキーやキャンプに行った。

当時といまの違いはまだまだある。

弁当や飲み物を売るワゴンが来なかった。

もっとも、来ても床にぎっしり客が座りこんでいるわけだから、出発と同時に立ち往生となる。

ペットボトルがなかった。

車内の飲み物といえば、急須の形をした陶製の容器に入ったお茶だけだった。

駅弁を買って食べる習慣がなかった。

いまでこそ車内のあちこちで駅弁を食べている人を見かけるが、当時はほとんど見かけなかった。

人々はただひたすら膝をかかえ、その上に首をのせて眠るよりほかなかった。

不思議なのは、それほど過酷な姿勢で長時間じっとしているのに、「エコノミー症候群」を訴える人が一人もいなかったことだ。

本当はそういう症状はあったのだが、

「それがどうした」

という気力と体力が往時の人々にはあったのかもしれない。

そうした過酷と忍耐と忍苦の中の、唯一の希望の星が冷凍みかんだったのである。

いまの人たちはそのことを知らない。

忍耐の姿勢の眼前で、常に黄色く揺れつづける飲食の希望の星。

いまは凍っていて食べることができないが、やがて必ずその時が来る。

揺れる希望の星を見上げてはそのときの栄華を思い、いつまで続くともしれぬ苦難に人々は耐えていたのだ。

人々は時々触っては食べごろを探り、少したってまた触り、また少したってまた触り、当時のすべての人々が〝早過ぎる〟という判断の過ちを犯していたのだった。

昔は列車での飲食の
飲はこれだけ
だった
ハリガネ

そうしてついに「いま！」が訪れる。

その「いま！」の判断がむずかしかった。

触るときは必ず「まだ」なのだが、ついウトウトして深い眠りに落ち、ハッと目覚めて「いま！」と思ったときは「すでに」の場合が多かった。

冷凍みかんの命は〝ショリショリ〟にある。

そのころは冷蔵、冷凍の流通が発達していなくて、アイスクリームを口にすることはめったになかった。

シャーベットに至っては、その名前さえポピュラーでなかった。

そういう時代に、冷凍みかんはシャーベットの舌ざわりを味わわせてくれる唯一のものだったのである。

冷凍みかんの〝シャーベット期〟は短い。

〝まだ期〟から一挙に〝すでに期〟になる。

〝すでに期〟というのは、ただの冷たいみかんのことだ。

時移り人変わり、いま、冷凍みかんを食べてみたらどういう思いに駆られるだろうか。

冷凍庫に放り込んで冷凍みかんを作る。

問題は、いつそれを取り出し、いつ食べるか、だ。

当時の人としてのぼくは、当時の人の習慣どおり、〝早過ぎる〟という判断の過ちを何回か繰り返したのち、取り出してから一時間後という適正な時間を知ることができた。

食べてみます。三袋いっぺんです。
うー、冷たい、この冷たさはタダゴトではない。
シャーベットを通り越し、クラッシュドアイスに近く、ショリショリというよりキシキシと歯にきしみ、歯の芯にしみ、歯には確かに芯がある、ということを自覚させ、冷凍みかんてこんなにも冷たかったっけ、と思わせ、途中で一回口を開けて温かい空気を呼びこむ。
あまりの冷たさに眉間に深いシワが寄り、そのうち少しずつみかんの甘い汁が口の中にたまり始め、顔つきも少しずつ優しくなっていき、眉間のシワも次第に浅くなっていき、うん、これは、おいしい、おいしくないの基準を超えたおいしさだな、なんて思いました。

◉フランスパンを許す

フランスパンて、ちょっと気取ったりするところありますよね。

買うときちょっと気取っちゃったりして、小脇に小粋にかかえちゃったりして、おコーヒーなんかもきちんと豆から挽いていれちゃったりして、小指なんか立てて飲んじゃったりしてみようかな、なんて思っちゃったりするというふうに、〝ちゃったり〟するところ、ありますよね。

フランスパンのあのデザイン、あの彫像が人を気取らせる。

食べ物というより造形物、どこかの美術館で見たことがある彫刻のような彫りの深さ、見事さ。

ああいうものを小脇にかかえると、たとえガニマタのおやじでも、いつもより歩幅がうんと長めになる。

颯爽、そういうつもりになるんでしょうね。

食パンだとこうはならない。

食パンを気取って買う人はいない。

四角くて長い食パンを小脇にかかえて、颯爽、なんてつもりになる人もいないない。

ぼくなんかでも、たまには、ようし、きょうはいっちょうフランスパン買ってきて食ってみる

か、なんて思うことがある。ようし、のところからすでに気取り始めている。で、まあ、歩幅長めで帰ってくる。

で、まあ、長い包みからフランスパンを引き抜く。そうするとですね、急にお茶目な気分にさせられるんですね。

フランスパンは長すぎる。いくらなんでも長すぎる。少しふざけているところがある。

そのせいか、はじっこのところを持って振り回したくなる。

どこか殴りつけたくなる。

そこで、どこか適当な所はないかと見回すのだがなかなか見あたらず、結局、自分のおでこをエーイなんて言いながら殴りつけると、これがちょうどいい痛さ、心地よい痛さ。

しめしめ、なんて思って、エート次は、なんて思って、こんどは頬に当てて頬ずりしてみると、これがザラザラとかなり痛いんですね。

相当痛い。

ですから良い子は真似をしてはいけませんよ。

前戯が終わっていよいよ食べ始めることになるのだが、フランスパンをあの長いまま丸かじりする人はいない。

ぼくはいっぺんやってみたことがあるが、どうしても格闘ということになり、これをレストランでやったらどういうことになるか、と充分思わせる格闘になった。

フランスパンはナイフで切って食べる。

そのナイフがどういうナイフかということでかなり気分が変わる。

フランスパンを薄汚れたマナイタにのせ、ところどころ刃の欠けた菜切り包丁でギシギシとやっていると、つくづく、

「オレって貧しいなー」

と思う。

最初気取った分、落差が大きいわけですね。

そこで、そういえば、誰かの結婚式のときの引き出物でもらったパン切りナイフがどこかにあるはずと思い出し、探し出してみると幸い少しもサビていずピカピカ光っている。

今度はそれをパンに当て、フランスパンをこうしてピカピカの専用のナイフで切るなんて、と思いながらスパスパと切れていくのを見ていると、つくづく、

「オレって豊かだなー」

と思う。

そうやってナナメに切る。

そうしてその一切れをつくづく見てみると、フランスパンは、白いパンの部分はほんの少しで、あとの大部分は皮と皮の続きと穴で構成されていることがわかる。

言い換えると、フランスパンはほとんど皮と穴だ、ということになる。

いいのかあれで。

食パンに穴はないぞ。みっしりだぞ。

食パンの皮は周辺にちょっぴりだぞ。

食パンの皮は耳って言うが、フランスパンのあれは耳

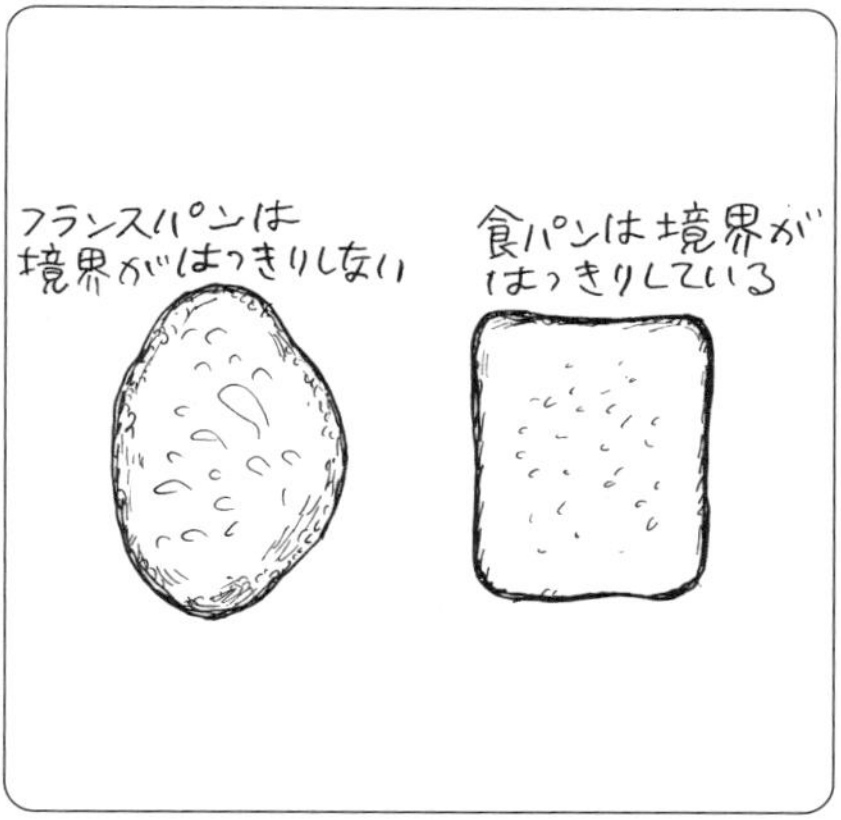
食パンは境界がはっきりしている
フランスパンは境界がはっきりしない

って言えるか。

耳って言ってもいいが、耳ばっかり食わせる気か。

と、フランスパンに文句たらたらの人もいるが、この人は間違っています。

フランスパンの皮はおいしい。つくづくおいしい。特に焼きたての皮はおいしい。パリパリとおいしい。メリメリとおいしい。

香ばしくて、噛みごたえがあって、噛んでいるとどんどん味が変わっていって〝小麦粉のダシ〟みたいなものも出てくる。

これは何でしょう
答(皮を剥いたフランスパン)

一方、白い部分は意外なほどの水分があってモチモチと柔らかく、噛んでいるうちに少しずつパリパリの皮と混じり合ってくる。

パリパリとムチムチの融合のおいしさ、フランスパンの狙いはどうやらこれらしい。

その融合も、皮が白い部分を圧倒する融合。

つまりフランスパンは、皮を食べさせたいのだ。

皮に主眼を置いているのだ。

聞くところによると、フランスパンの中には大きく切れ目を入れて角《つの》のような部分をわざわざ作ったものまであるという。

それは角によって表面積を増やしているらしい。
そうまでして皮を食べたいフランス人て、なんだか不憫な気さえしてきますね。
だから皮だらけのフランスパンは許す。
だけど穴だらけのフランスパンは……何とかならないかなあ。

◉猪ラーメンを食う

唐突にこんなことを言い出し、世間をお騒がせして申しわけないのですが、

「ことしはトラ年」

とか、

「ことしはウマ年」

などという、いわゆるエト、十二支ですね、その十二支のその年の当該動物に対して、あなたはどのような態度をとっておられますか。たとえばことし（二〇〇七年）はイノシシ年ですが、

「ことしはイノシシを大切にしよう」

とか、

「ことしはイノシシを尊敬しよう」

とか、そういうことを本年初頭に思ったりしましたか。

向こうだって十一年間待って、やっと自分の年になったわけだから、当然何かしてくれるだろうな、何かの祝賀があるはずだな、と思っているにちがいないのです。

それなのにいくら待っていても挨拶に来ない。

昔からいわれていることですが猪の肉は脂んとこがおいしいんです
よじれてる

ことしはあなたの年です、という表敬訪問がない。

ことしの冬、日本のあちこちで猪が暴れたのはそのせいではないか、と論評する評論家も少なくない。

つまりゴネたというわけですね。

ゴネて人里に出てきておばあさんを突き倒したり、おじいさんに突っかかったりした。

ここはひとつ、のちのちのためにも猪一族をなだめて納得させておかなければいけない。

どうやって納得させたら

いいか。

食べちゃう、というのはどうか。

理論的にはかなりの無理があるが、案外それで納得してくれるかもしれない。

食べられたんじゃしょうがない、という猪独得の考え方があるかもしれないじゃないですか。

猪を食べるということになると、猪鍋というあたりに落ちつく。

猪鍋はこれまで何回か食べたことがあるし、第一面白味がない。

何か別の新しい食べ方はないか。

猪は豚の親戚だ。

豚と同じような食べ方ができるのではないか。

豚といえばトンカツ。

猪肉を油で揚げたイノカツはどうか。

トンカツに野性味を加味したイノカツ、どうです、旨そうではないですか。

豚といえば焼き豚。チャーシュー。

猪肉といえば脂身。豚よりも脂の部分が多く、豚の脂がグニュッとしているのに対してしっかりした嚙み応えがあって甘味もあるといわれている。

うーむ、旨そうだぞイノチャーシュー。

豚といえばトン骨でダシをとったトンコツラーメン。

イノ骨でダシをとったイノコツラーメンはどうか。
イノ骨からはどんなダシがとれるのか。
うーむ、どんな味になるのか食ってみたいぞイノコツラーメン。
おおそうだ、このイノコツラーメンには当然イノチャーシューがのることになるのだ。
そうして完全無欠のイノコツラーメンになるのだ。

　でもなあ、そううまく話はいかないだろうなあ、東京中探してもそういうラーメンどこにもないだろうなあ、と思っていた矢先、あるというのです、イノカツとイノコツラーメンが。

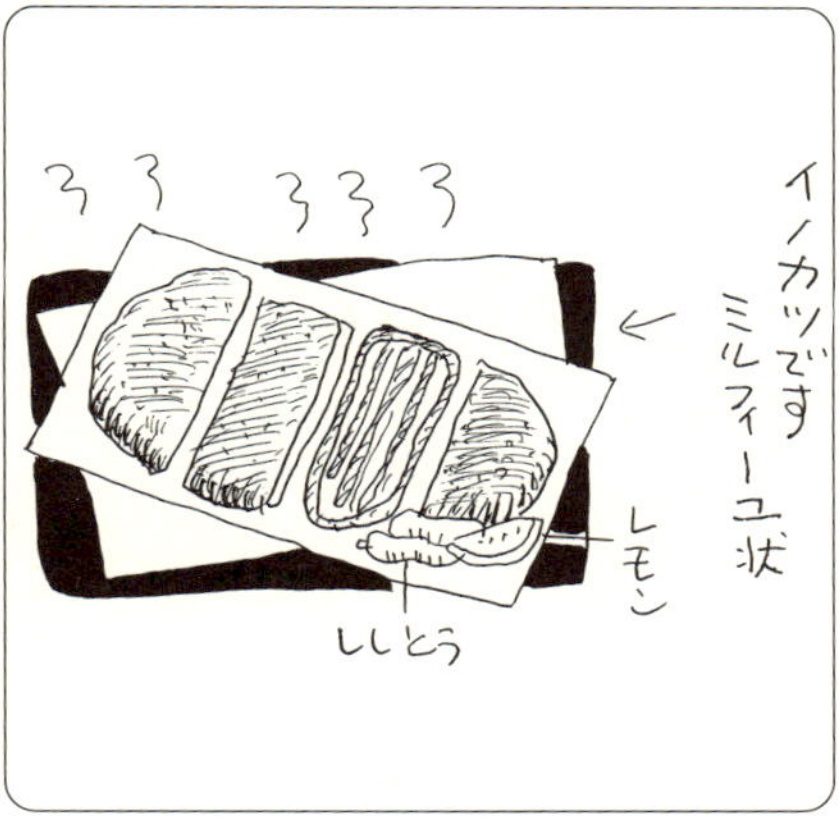

狂喜乱舞、破顔一笑、百聞一見、電光石火、疾風迅雷の勢いでその店に到着。
新橋にある甲州料理を中心にしたメニューの店「Y」。
この店では猪を山豚といっている。
山豚とんかつ（ししかつ）１６５９円。
いのししラーメン　１０５０円。
ししかつのほうからいきます。
見た目は大きめのロースカツ。

四つに切ってあって、その切れ目を見てみると、オヤ、ふつうのトンカツのような一枚肉ではない。

猪肉を薄切りにし、薄切りのじゃがいも、梅ペースト、大葉と共に四段階くり返して重ねてミルフィーユ状態にしてある。

イノカツというからには、猪の部厚い一枚肉にコロモをつけて揚げたのをガシガシと食ってみたかったが、これは多分、猪肉の赤身のところは硬いのでこういう料理法をとったのかもしれない。

しかしこれはこれでなかなかおいしい一品であることはまちがいない。塩または大根おろし入りのタレで食べる。

そしていよいよイノコツラーメン。

ふつうのラーメンとは一味違うが、ちゃんとイノコツ醤油ラーメンになりえている。

まず器が和風のウルシ塗り風。

麺はれっきとしたラーメンでちぢれ麺だがスープがちょっと違う。

イノ骨でとったいいダシが出ているのだが、トン骨でとったダシとどう違うのかと言われると、ウームとうなり、やはりトン骨より野性味あふれるダシで、と言おうとして、野性味ややあふれる、と言い直そうとし、言い直さないでいいかなと迷うような、そういう違い。

イノチャーシューではなく、炙《あぶ》り肉と称する大きな薄切りの猪の肉がのっている。この肉の周辺に付いている脂身が熱でよじれ、この脂身が噂にたがわず嚙み応えがあって甘くておいしい。

メンマはなく、モヤシとニラが卵でとじたようになってのっている。そうそう、そこにすりゴマがパラパラ。

こうなったら猪の生姜焼きも食ってみたいな。焼きとんならぬ焼きイノも食ってみたいな。酢猪も食ってみたいな。（酢豚ならぬ……）

◉ゴメンネ菜の花

いま日本各地で菜の花が花盛り。

菜の花っていいよなー。

なんて、ついため口になってしまったが、菜の花って、純朴で、可憐で、明るくて、気取りがなくて、つつましくて、つい気がゆるんでため口になってしまうんだよなー。

菜の花は一本だけポツンとあるよりも、やはり〝いちめんのなのはな〟がいい。

いま房総半島あたりは、見渡すかぎり黄色い絨毯《じゅうたん》、そしてその絨毯の向こうに青い海、なんてことになっているんだろうなー。

そういう光景を目の前にすると、ふっと気がゆるんで、この世の瑣事《さじ》、雑事、小事を忘れる。

菜の花はあの高さがいいんでしょうね。

あの高さが親しみを感じさせる。

人間のちょうど腰のあたり、手のあたりの高さ。

風が吹くと、馴れ親しむように腰のあたりに寄り添ってくる。

手の先にじゃれついてくる。

なのはーなばたけェェにーいーりーひうすれ〜〜
菜の花に感激して二番まで歌ってしまったおばさんたち

あれがもし、チューリップぐらいの高さだったら、親しさもちがってくるのかもしれない。

菜の花は咲き始める時期もいい。

冬が終わってまっ先に地表に押し寄せてくる黄色い波。

まっ先ってところがいいな。

待っていたでしょうってところが心憎いな。

黄色っていうのもいいな。

ヨーロッパには〝いちめんのラベンダー〟というのがあるらしいが、黄色と紫ではまるで印象がちがう。

菜の花の黄色は、見ているだけで心が暖かくなってくる。

そんなふうに、菜の花は人の心を優しく和《なご》ませてくれる。

ただ咲いていてくれるだけでいい。

ただ風に揺れていてくれるだけでいい。

そういう花は、ただ見ているだけでいい、観賞するだけで充分……のはずなのに、人間てほんとにもうどうしようもないくらい強欲なところがあって、うんにゃ、ならねえ、それだけではかんべんできねえ、食べちゃう、なんてことを言い出して、本当に食べちゃうんですね。

本当にいけないことだと思う。

乱暴狼藉とはこのことだと思う。

あれ、いけませぬ、そのような、ご無体は、とはこのことだと思う。

まあ、よいではないか、ウヒヒ、というのはまさにこのことだと思う。

ウヒヒ、なんて言いながらおひたしにしちゃうんですからね。

あの可憐を熱湯に放り込んで、熱湯地獄に落としちゃう。

辛子醤油が合うんだよね、とか言って、あの純朴を辛子地獄に落としてヒーヒー言わせる。

天ぷらもいけます、とか言って、油地獄を味わわせる。

本当にいけないことだと思う。

ぼくは心底そう思う。

そう思うけれども、すでにおひたしならおひたし、天ぷらなら天ぷらとなって目の前に出されれば、ご無体と知りつつ、これはもう食べるより仕方がないではありませんか。

ご無体と思いつつも口に入れてみると、これがまた何ともおいしい春の味で、ついウヒヒとなって、まあ、よいではないか、ということになっていくのも、人間として自然の成りゆきということになるのではないでしょうか。

そういう事の成りゆきで菜の花を口にしてみると、あれ？　話がちがうじゃないですか、どこが純情可憐なんですか、清純素朴じゃないじゃないですか、苦いじゃないですか。

うーむ、苦い。

終始一貫苦い。

苦いけれども、蕗とかゴーヤなどのひとくせある苦さではなく、変な言い方だが〝性格のよい苦さ〟、温良な苦さ。

まさに春のほろ苦さ。

味わいは花のところと茎のところではちょっとちがう。

茎のところは実の詰まった空芯菜じみたパキパキ感がちょっとあって、この歯ざわりがいい。

花のところのほうが苦みが少し強い。

この花のところもおいしいんだけれど、緑の中のほんの小さな黄色い花を噛んでいると罪悪感のようなものがわいてくる。

花を食べるといえば菊の花も食べるが、菊の花を食べるのと、菜の花を食べるのとでは思いがちがうのはなぜだろう。

菊の花のときは、ほう、菊の花ですか、なんて言ってむしゃむしゃ食べるが、菜の花のときは黙って食べる。むしゃむしゃとは食べない。

菜の花は春以外はめったに食べない。

というか、春以外は店頭に並ばない。

菜の花がおいしいということは知れわたっている。

一年中食べられても不思議ではない〝野菜〟だと思う。

もっといろんなふうに、たとえば味噌汁の具に、野菜サラダに、浅漬けに利用されてもいいはず、と、ぼくなんかは思う。

そのぐらい実力のある野菜だと思う。

ほうれん草や小松菜みたいな扱いになれば、菜の花もハウス栽培で、ということになって、一年中店頭に並ぶことになるはずだ。

おやじ好みの苦みだから、居酒屋のメニューにも一年中「菜の花辛子和え」が並ぶことになるはずだ。

なのにそうならないのはなぜか。

やはり人々の心の中に、〝ご無体〟があるからではないか。

人々の心の中に、菜の花に対する〝ゴメンネ〟があるからではないか。

◉新宿みやざき館はいま

「宮崎をどげんかせんといかん」

と言ってそのまんま東氏は知事選に当選して第52代宮崎県知事になった。

で、宮崎県はどげんなったのか。

大変化があった。

新宿にある「新宿みやざき館」に人がどっと押し寄せた。

「新宿みやざき館」というのは、県の紹介をかねて特産品の販売をするいわゆる物産館だ。

多分、そのまんま氏が知事になる前のこの物産館は閑散としていたにちがいない。

テレビの番組で紹介していたが、いまや物産館は人であふれ、レジの前には長い行列ができている。

ということは、この物産館の人気、即、そのまんま人気ということになる。

これまで宮崎県は、人々の関心をあまり呼ばない県だった。

人気のない県だった。

九州といえばまず鹿児島。

「みやざき館」の紙袋を持って新宿を歩いていたら
ヤダ ホラ「みやざき」よ アハハハ
と二人づれのおばさんが笑ったぐらい、この紙袋は有名であるらしい
みやざき

鹿児島といえば薩摩芋、薩摩揚げ、芋焼酎、鹿児島黒豚、桜島大根……といったように、特産品の名前はどんどん出てくるし、西郷隆盛はいるし、桜島は噴煙を上げるし、といったようにみんなによく知られているが、宮崎県となると、宮崎県？　エート、九州のどのへんだったっけ、と、その所在さえ定かでない。

宮崎県をこのようにクローズアップさせたそのまんま人気とは何か。

テレビのワイドショーでは、おばさまたちにもみくちゃにされていたが、それほどの人気はどこからくるのか。

顔からくる人気、ではあるまい。

人柄からくる人気、だけでもあるまい。

お笑いタレント時代のそのまんま氏はそれほどの人気でもなかった。

ということは、〝知事となったそのまんま氏の人気〟ということになる。

ここで話は急に変わって恐縮ですが、日本テレビの朝の番組で「ズームイン」というのがありますね。

もう何年か前のことなのだが、この番組の中で、元巨人軍の投手でいまはタレントの宮本和知さんが、キャンプ中のグラウンドで、巨人軍の選手の現状を一人ずつ紹介するコーナーがあった。

選手を一人ずつカメラの前に呼び出して、宮本さんが面白おかしく質問をしていくのだが、何番目かに呼び出された選手（宮本さんの先輩で現役）が、宮本さんに向かって、いきなり、

「おまえ、そのお笑いの腰つきやめろよ」

と言ったのである。

宮本さんは選手をやめてから、いつのまにかお笑い芸人の腰つきになっていたのだった。

お笑いの腰つきというのは、腰をちょっと折って前かがみになり、落ちつきなく体を揺らしたりする仕草を言うらしかった。

このお笑いの腰つきが、そのまんま氏が知事となったいまでもときどき出る。

政治家は権力を行使する職業である。

海千山千の官僚、政治家を相手に権力を行使するには常に強面《こわもて》でなければならない。

姿勢は常に反り返っていなければならない。

眼光鋭く、相手を威圧しなければならない。

お笑いの腰つきで相手に対応している政治家など一人もいない。

そうしたなかで、そのまんま氏は、日本で初めての腰振り政治家として登場したのである。

腰振り政治家はおばさまたちの目に新鮮に映った。

カワイイ、と映った。

珍種、と映った。

珍種は常に人々の目を集める。

パンダしかり、襟巻きとかげしかり。

そのまんま氏が知事に当選して、有力政治家に挨拶まわりをしたときもお笑いの腰つきだった。

宮崎県の特産品の詰まった紙袋を、この腰つきで渡していた。

このとき、人々は初めて宮崎県の特産品が、「宮崎地鶏炭火焼き」や「どんこ椎茸」などであることを知った。

そのあと、宮崎県はいろんなテレビ番組で紹介されて、ピーマンが日本一の生産量であることも知った。

あれから早くも二カ月が経ったが、「新宿みやざき館」の現状はどうなのか。

「新宿みやざき館」は依然として人であふれていた。

レジ前の行列も依然として長かった。

行列の人々のカゴの中には、テレビで紹介された「宮崎地鶏の炭火焼き」の袋が一つ以上入っていた。

ここには軽食コーナーも併設されていて、ここも人でいっぱいだった。
どういうメニューかというと、「冷や汁定食　550円」「宮崎和牛煮込ハンバーグ定食　600円」「黒豚生姜焼き丼　550円」などで、テレビで有名になった「地鶏の炭火焼き」はおつまみとして出ていてこれは450円。
このおつまみには宮崎地ビールの「ひでじビール」が合う。
「冷や汁定食」の冷や汁とは、イリコ（煮干しの一種）などをすりつぶしてダシにし、冷たい味噌汁を作り、そこへキュウリやゴマなどを加えて熱いご飯にぶっかけて食べるぶっかけ飯のことで、これもなかなか旨い。

と、このように、いまのところ、知事も物産館も好評が続いているようだが、日本初の腰振り政治家、みんなで大事にしていきたいものだ。

◉わらびの憂い

「わらびは祈りを捧げている」

という人もいれば、

「わらびは反省している」

という人もいるし、

「わらびはうなだれている」

という人もいる。

いずれもわらびの穂先が頭を垂れているように見えることからくる感想である。

ぼくは「わらびはうなだれている」が正解だと思う。

稲穂もわらびと同じように頭《こうべ》を垂れている。

この、頭を垂れている稲穂に対する人々の感想はすでに定着していて、「実るほど頭を垂れる稲穂かな」ということで、一種の謙虚、恭順の姿勢ととらえられている。

本当のところ、わらびはどういうつもりで頭を垂れているのか。

いうまでもなく、わらびは山菜である。

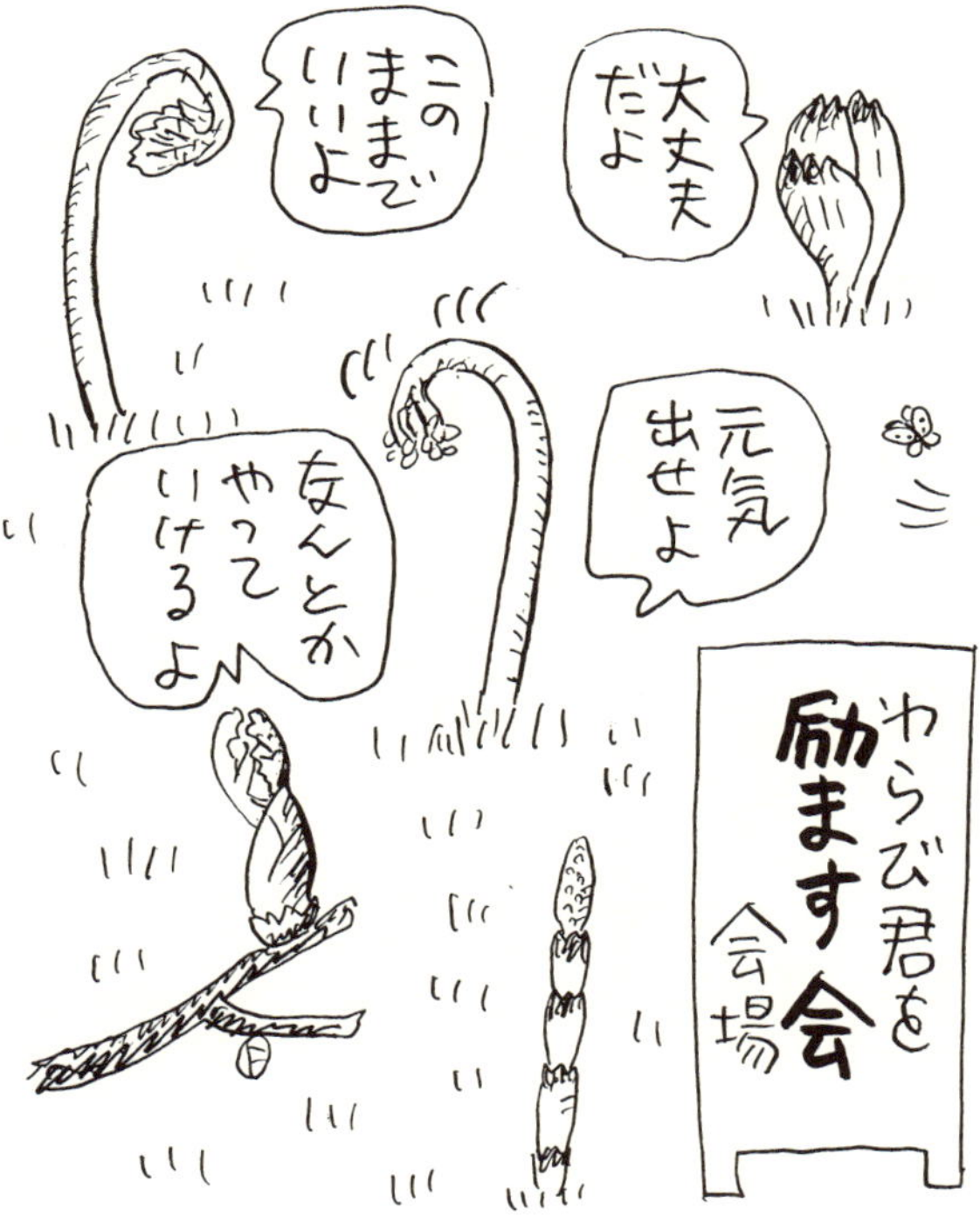

大丈夫だよ
このままでいいよ
元気出せよ
なんとかやっていけるよ
わらび君を励ます会会場

山里で育った田舎もんである。

ぼくも山里で育った。

子供のころは栃木県に疎開していて、茨城県との県境の山の中で育った。

なにしろ山の中であるから、春になればわらびはその辺にいくらでも生えていた。

「わらび採りに行くべ」

と、わらびの季節になると、友達を誘って毎日のように裏山にわらびを採りに行った。

カゴ一杯、ずっしりと重いわらびを採って帰ると、それを母親が大きな鉄鍋で煮て、わらびの季節は朝から晩までおかずはわらびだった。

くる日もくる日もわらびだった。

あのころのわが家のおかずは、どじょういんげんの季節になると、くる日もくる日もおかずは鍋一杯に煮たどじょういんげんだった。

茸の季節になると、くる日もくる日もおかずは鍋一杯に煮た茸だった。

当時の田舎の食生活はそういうものだった。

三十品目がどうのこうの、などと言う人は一人もいなかった。

わらびとはそういう交《つ》き合いをしていた仲だった。

わらびとは幼なじみだったのである。

そのわらび君と大人になって再会した。

懐石料理の店で再会したのである。

わらび君は、懐石料理のスターとして扱われていた。

お品書きには「煮物椀　白魚湯葉巻き　柚子　わらび」とあって、朱の漆塗りの椀の中に、白魚が四本ほど幅の広い湯葉で巻いたものが置かれ、その上に薄切りの柚子、そしてその上に穂先の曲がったわらびが一本のせてある。

料理の中心、どまん中、しかも最上段の位置に、最上級の扱いを受けて鎮座ましましていたのである。

わが幼なじみは、山奥から出てきていつのまにか優雅の世界に身を置いていたのだ。

わらびの山菜仲間にぜんまいがある。

わらびとぜんまいは、その姿《すがた》、形《かたち》がよく似ているがその生き方はまるで違う。

ぜんまい君は地味な道を選んだ。

油揚げといっしょに煮て居酒屋のつきだし、とか、味噌汁の実、とか地味ではあるが堅実な路線を選んだ。

堅実な路線の大手は、なんといってもナムルである。

これはかなりの大手で、安定した就職先を確保したということになる。

わらびは
ポキッと折れる
折れ心地が
とても いい
ポキッ

山菜には、わらび、ぜんまい、たらの芽、蕗のとうなどがあるが、それぞれ決め手となる料理をもっている。

ぜんまいといえばナムル、たらの芽といえば天ぷら、蕗のとうといえば蕗味噌ということになるが、わらびだけは決め手となる料理がない。出しと醤油の煮びたしか、けずり節をかけておひたし風に食べるか、そのぐらいの料理しかない。

わらびはどうもなんだか味が曖昧で、これといった特徴がない。

居酒屋のメニューにいかにもありそうな素材だが見たことがないし、居酒屋の主人にしても、わらびをどう料理していいのかわからないのではないか。

なのにわらびは、日本の食卓から消えることはない。

平安時代の昔からわらびは食用として認められ、連綿として今日まで伝えられてきた。

万葉集の、

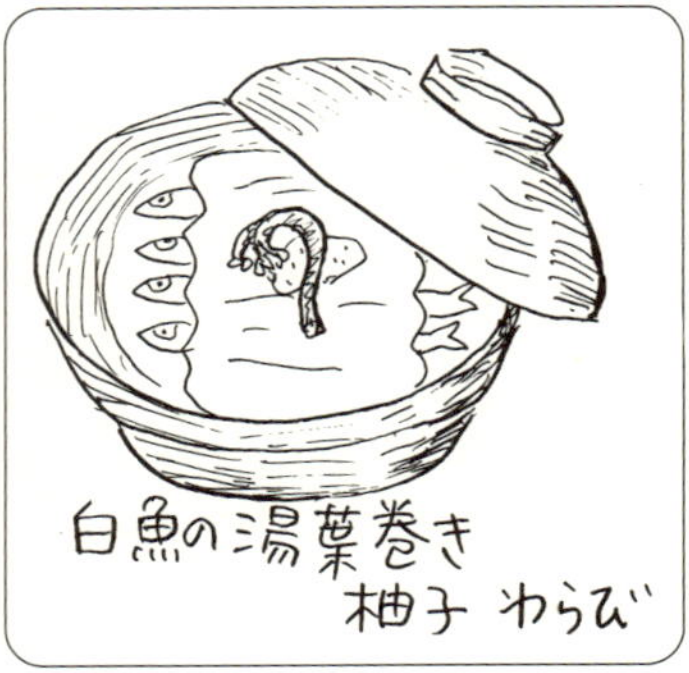

石激《いはばし》る垂水《たるみ》の上のさわらびの萌えいづる春になりにけるかも

は人々に広く知られている。

曖昧とは言われているが、よく味わってみるとわらびにはわらびなりの味がちゃんとある。

わらびの味を文章で表現してみろと言われるととても困るが、ほら、羊歯《しだ》とか苔ってあるでしょう、あのたぐいの味、といったって、誰も羊歯や苔を食べたことはないので、そんなことを言われても困っちゃうわけだが、その困っちゃう味、に、あの独得のヌメリが加わって更に困っちゃう味。

ですからわらび自身もそのことに困っていて、それでついうなだれてしまったわけです。そうしたらそこのところに懐石の人が目をつけた。

懐石の人というのは、味とかおいしさとかよりも、なにかこう精神的なものを重視したがる。頭を垂れている姿を見て、祈りを捧げている、反省している、崇高な姿だ、というふうにとらえ、そういう姿だけ欲しい、下半身は要らない、と言いだし、わらびはますます困ってうなだれていると、そのますます困ってうなだれている姿がますますいいと言われ、更に困っている、というのがわらびの現状らしいですよ。

◉海老物語

海老は引っぱり蛸である。

こう書くと、海老は蛸である、というような誤解をまねくかもしれないので言い直す。

海老は日本では大モテである。

日本における海老の消費量は世界一だという。

なんてったってアイドル、なんてったって海老様、歌舞伎の世界でも海老から名前を拝借している。

ほかの国はいざ知らず、日本では海老は目出度いものとされている。

鯛や昆布や豆などと共に、お目出度いものの一つに数えられている。

でも、よく考えてみると海老のどこが目出度いのか。

鯛はめでたい、昆布はよろこぶ、豆はまめまめしく働く、ということでそれぞれにちゃんとした理由がある。

海老はどこが目出度いのか。

海老に関連した言葉といえば、「海老固め」があるが、なんだか痛くて苦しそうではないか。

　もうひとつ「海老責め」というのがあるが、これは拷問の型であるから目出度いどころではない。

　苦痛を伴う暗い陰惨な話になってくる。

　それなのに、なぜ海老は目出度いことになったのか。

　どうも無理やり目出度い方向にもっていった疑いがある。

　海老は茹でるとつの字型に曲がる。

　そこのところに目をつけた。

　海老に腰があるのかどうかわからないのに、〃腰が曲がっている〟とこじつけた。

腰が曲がっているとなぜ目出度いのか。

むしろ不健康ではないのか。

ここのところは次のように切りぬけた。

どこから連れてきたのか知らないが、もう一匹の海老をこれに連れ添わせ、これを夫婦ということにした。

ここまででも相当な無理があるのに、この夫婦をなにがなんでも長生きしたことにし、偕老同穴なんて言葉を持ち出してきて、二人いっしょに墓に葬ったので目出度い、かなり強引だけど目出度い、ということにしたのである。

なぜみんなしてこんな無理を強行したのか。

やはり日本人はもともと海老が好きなんですね。

それで、無理を承知で強行したんでしょうね。

確かに海老に対する日本人の評価は高い。

だが実際は蟹のほうがもっと高い。

値段だってもっと高い。

海老の食べ放題ツアーはないが、蟹の食べ放題ツアーはある。

なのに、海老蔵はいるが蟹蔵はいない。

やはり蟹蔵だと、なんだかむさくるしく、毛むくじゃらでガニ股で、という印象になるんでしょうね。

蟹に比べ、なんてったって海老は姿、形がいい。

茹でる前はスラッとしている。

色とデザインが秀逸である。

赤からグラデーションで薄くなっていってまた赤、また薄くなっていってまた赤、この色彩とデザインはどこへ置いても似合う。

弁当なんかにも似合うし、寿司にも映えるし、チャーハンに混じっていても様になる。

それに海老を使うと高級感が出る。

だから料理屋は何にでも海老を使いたがる。

低予算の弁当にしても、何とかして海老を使おうとする。

海老が一匹入っている駅弁と、入ってない駅弁とでは印象がまるで違う。

だが、こういう弁当系の海老が旨くないことは誰もが知っている。

その上、殻つきが多いから剝かなければならない。

この殻は大抵ベタベタしているから剝くと手がベタつく。

迷惑なんだよな、こんなもの入れるなよ本当に、食わないぞオレは、こっちへよけとくぞ、と本当によけておくのに、手はいつのまにかその海老を取りあげていて、いつのまにかベタベタと剝いている。

そういう海老は旨くないが、海老フライ、海老天の海老は旨い。

プリプリと旨い。

ムチムチとおいしい。

そういうフライ系、天ぷら系の海老を食べるとき、いつも悩まずにはいられないのが尻っぽの問題だ。あれは食べてもいいものなのか、食べてはいけないものなのか。

思い悩んだ末に残すと、

「それ、やっちゃってくださいよ。海老は尻っぽが旨いんだから」

などと店の主人に言われたりする。

ぼくは残すことに決めているのだが、その代わり付け根のギ

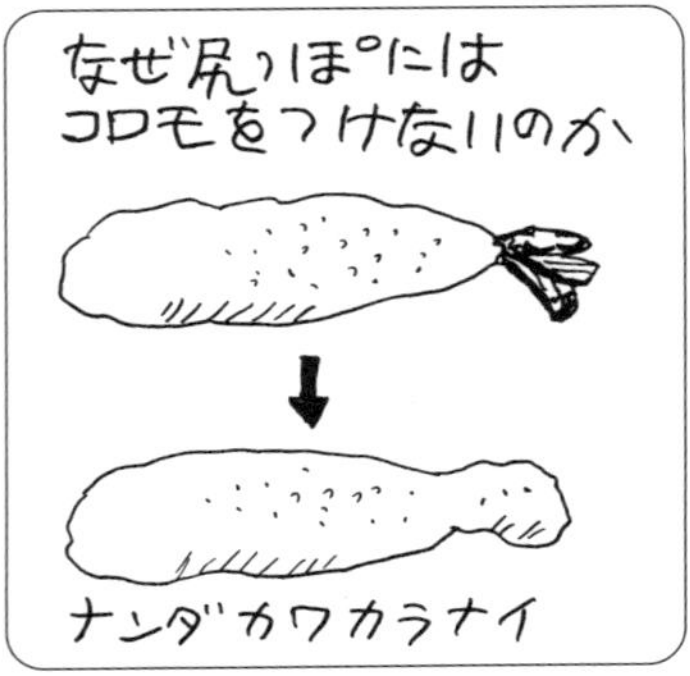
なぜ尻っぽには
コロモをつけないのか
ナンダカワカラナイ

リギリのところまでホジリにホジる。

そうやっても残したい。なぜか。

たとえば天丼。

天丼、全部食べ終わりますね、尻っぽまで食べちゃうと丼の中には何も残りませんね、寂しいじゃありませんか、丼の中になーんにも残ってないってのは。

赤い尻っぽが二本、丼の底に残っていたとしますね、それをたとえばご婦人がレジでお金を払いながらチラと見たとしますね、そうすると、あー、この人は天丼を食べたんだ、そうなんだ、とこれは特に感慨というほどのものではないけれどもそう思いますよね。

そうするとぼくは、そうなんです、わたくしは天丼を食べたんです、この赤い尻っぽがその痕跡ということですね、と、言葉こそ交わさないが心の交流が生まれるわけです。

ほのぼのとするじゃありませんか。

◉ラーメンも缶詰に

いま目の前にラーメン缶があります。

ラーメンの缶詰です。

そういうものが今度発売されたのです。

このラーメン缶はたったいま、自動販売機からゴットンと落ちてきたばかりのものです。

いま手に持っているのですが、熱いです、おー、あちぃ、ポケットからハンカチを出してラーメン缶の尻にあてがうことにしますね。

値段ですか？　250円です。

カップ麺が120円くらいだからかなり高い。

ラーメン缶の大きさですか。

直径約6センチ、高さ10センチだからカップ麺よりはるかに小さい。

普通の缶ビールの背が低めといったところかな。

このあちぃラーメン缶を、人が行き交う道ばたで立って食べようとしているところです。

ラーメン缶自販機が設置されているところはどこかというと、地下鉄の半蔵門駅の近く。

いま各地に拡がりつつあるラーメン缶を売り出したのは、ここらしいですよ。

皇居から近く、国立劇場や各国大使館、かの有名な番町小学校もあるという地域です。

セレブでハイソな地域じゃないかですって？　ハイ、ソーです。

そういうハイソな場所で、惨めったらしく250円のラーメン缶を立ち食いしようとしているわけですよ。

哀訴しているのかって？

アイ、ソーです。

時刻は夕方の六時ちょっ

と過ぎ。

自販機のすぐ横を、勤め帰りのサラリーマン及びＯＬがゾロゾロと半蔵門駅に向かっている。

ラーメン缶を食べるには箸が要る。

ラーメン缶のフタの上にプラスチックのキャップがかぶさっていて、そのキャップの下に折りたたみ式のフォークが入れてある。

フタはパッカン方式。

ではパッカンと開けることにします。

え？　なんですって、この話を最初から聞いていた者だがこの話そもそもおかしくないか、ですって？

ハイ、ハイ伺いましょう。

ラーメン缶は缶といえども一応ラーメンだろーが、ラーメンといえば麺だろーが、その麺がラーメン缶の中でずうっとスープの中にひたっていたわけだろーが、しかもそのスープはあちぃだろーが、伸びちゃうだろーが。コシはどーなる。

ハイ、ハイ、わたくしもそれ、最初から気になってました。

ですからその問題、これからおいおい追求していくことにします。

いま、フタ、パッカンと開けました。

おっ、なんか、表面にメンマが浮いてる、一本、二本……五本浮いてる、小さめではあるがちやんとしたメンマであとはスープしか見えない。

あ、言い忘れましたが、ラーメン缶は醤油味と味噌味とあって、これは醤油味。

とりあえずスープを一口すすってみますね。

え？　スープはあとにして麺問題を早く報告しろ？

もう缶を口のところまで持ってっているのでまずスープ。

当然伸びるよナ
伸びてたら怒るでワシ！
とすでに怒り始めた人

　うん、いや、なかなかのものです。

ちゃんと脂もキラキラ浮いていて、どうせ缶詰だろ、いいかげんだろ、と思っていた人に充分反撃できる味。

次にこの、浮いているメンマいってみます。

おう、これもなかなかそこそこまずまずほどほど。

で、いよいよです。麺です。丼だと箸の先で麺をまとめてズズッといくわけですが、なにしろ直径6センチの缶、表面からは見えない麺をフォークの先で探り出し、ほじくり出してみると、あれ、麺がいやに細いな、シラタキぐらいの細さだな、極細麺だな、と思いつつズズッとすすってみると、あれ？

伸びてなーい。

二、三年前のテレビＣＭで、外国人のタレントが安全カミソリを顔に当て、わざと横に引いて、
切れてなーい、
と叫ぶのがありましたね。
あのアクセントで読んでくださーい。
伸びてなーい。
コシ、あーる。
そんなはずなーい、ですって？

そんなはずあーる。

だってこれ、蒟蒻《こんにゃく》麺だもーん。

改めて缶をよく見ると、「らーめん缶」とあるすぐ横に「蒟蒻麺使用」と書いてあーる。

じゃあラーメンじゃないじゃないか、蒟蒻じゃ旨いはずないじゃないか、と思う人も多いと思うが、それが全然ダメじゃなーい。

蒟蒻に何か工夫がしてあって、麺に近い歯ざわり、舌ざわりに仕立てあげてあるので、麺に近い感覚でスルスルと口に入っていく。

ふつうのラーメンは、麺に〝スープがからまっておいしい〟のだが、こっちは〝スープがしみこんでおいしい〟。

チャーシューはどうなのだろう。

チャーシューは居るのか、と更に探っていくと、一応居ます、と底のほうから2センチ角ぐらいのチャーシューが一応現れ、一応おいしい。

この文章は最初から「ラーメン缶」と書いているが、ジュースやコーヒーは「缶コーヒー」「缶ジュース」だ。

飲料系は缶が先で、鮭缶などの固形物系は缶が後ということらしいが、スープと固形物と両方あるラーメンはどう呼べばいいのか。

〈初出誌〉「週刊朝日」２００６年９月15日号〜２００７年５月25日号（「あれも食いたいこれも食いたい」）

おにぎりの丸《まる》かじり

2008年３月30日　第１刷発行

著　者　東海林《しょうじ》さだお
発行者　矢部万紀子
発行所　朝日新聞社

〒104-8011　東京都中央区築地５－３－２
電話　03-3545-0131　振替　00190-0-155414
［編集］書籍編集部　［販売］出版販売部

印刷所　凸版印刷

ISBN978-4-02-250406-7
定価はカバーに表示してあります

東海林さだおの作品

1 タコの丸かじり
2 キャベツの丸かじり
3 トンカツの丸かじり
4 ワニの丸かじり
5 ナマズの丸かじり
6 タクアンの丸かじり
7 鯛ヤキの丸かじり
8 伊勢エビの丸かじり
9 駅弁の丸かじり
10 ブタの丸かじり
11 マツタケの丸かじり
12 スイカの丸かじり
13 ダンゴの丸かじり
14 親子丼の丸かじり
15 タケノコの丸かじり
16 ケーキの丸かじり
17 タヌキの丸かじり
18 猫めしの丸かじり
19 昼メシの丸かじり
20 ゴハンの丸かじり
21 どぜうの丸かじり
22 パンの耳の丸かじり
23 ホットドッグの丸かじり
24 おでんの丸かじり
25 うなぎの丸かじり
26 パイナップルの丸かじり
27 コロッケの丸かじり
28 おにぎりの丸かじり

傑作選シリーズ
朝日文庫刊

- 東海林さだおの弁当箱
- 東海林さだおのフルコース
- 東海林さだおの大宴会
- 丸かじり劇場メモリアルBOX

特別版

- 東海林さだおの満腹大食堂

丸かじりに登場した名店の数々を紹介するカラー版グルメガイド